INTELIGÊNCIA EMOCIONAL

NO TRABALHO

OBJETIVA

HENDRIE WEISINGER, PhD

INTELIGÊNCIA EMOCIONAL NO TRABALHO

Como aplicar os conceitos revolucionários da I.E. nas suas relações profissionais, reduzindo o stress, aumentando sua satisfação, eficiência e competitividade.

Tradução
Eliana Sabino

Revisão Técnica
David Simon

OBJETIVA

Título original
EMOTIONAL INTELLIGENCE AT WORK

Direitos em língua portuguesa para o Brasil, adquiridos
de JOSSEY-BASS INC., PUBLISHERS
por EDITORA OBJETIVA LTDA., rua Cosme Velho, 103
Rio de Janeiro – RJ – CEP: 22241-090
Tel.: (021) 556-7824 – Fax: (021) 556-3322
INTERNET: http://www.objetiva.com

Capa
Tira Linhas Studio

Revisão
Tereza de Fátima da Rocha
Umberto Figueiredo Pinto

Editoração Eletrônica
Abreu's System Ltda.

1997
10 9 8 7 6 5 4 3 2

Para Briana e Daniel,
meus verdadeiros tesouros

Sumário

Agradecimentos

Há muita gente a quem agradecer. Em primeiro lugar, Larry Alexander, que reconheceu a importância da inteligência emocional no trabalho e deu o pontapé inicial levando o livro para a editora Jossey-Bass. Em seguida Susan Williams, que com habilidade usou a inteligência emocional na sua crítica aos originais. Ela percebeu exatamente aquilo de que o livro precisava e mostrou grande sensatez ao trazer Karen Sharpe para acompanhar o projeto. Karen fez um trabalho maravilhoso e não tenho dúvida de que esse livro ficou muito melhor por causa do seu talento literário e editorial.

Em seguida vem John Mayer, que generosamente compartilhou comigo o seu conhecimento sobre a inteligência emocional; seus artigos a respeito deste assunto constituíram a minha principal fonte teórica. Devo agradecer também a seu colega Peter Salovey.

Quero agradecer a vários programas de cursos para executivos de empresas. Em particular agradeço aos meus amigos da Anderson Graduate School of Management da UCLA (Universidade da Califórnia em Los Angeles). Há 16 anos o programa de educação para executivos da UCLA tem me apoiado e tem sido a ajuda mais poderosa na propagação da minha mensagem para a América empresarial. De Victor Tabbush a Debra Terrill, passando por Alan Barnes, com Jim Aggen, Grace Siao e Myra Brown fornecendo uma ajuda constante, esse programa lançou-me no campo da educação para executivos. Além disso, não vamos esquecer que os simpáticos Bruins venceram mais campeonatos de basquete da NCAA (Associação Atlética Nacional das Universidades) do que qualquer outra das 10 melhores escolas para executivos.

Devo também minha mais profunda gratidão ao programa de educação de executivos da Universidade de Washington, um dos primeiros programas do gênero no país a reconhecer a importância de um "programa de inteligência emocional". Em particular, agradeço a Howard Norman, que, além de ser um bom amigo, tem sido um valioso mentor no campo da educação para executivos.

Outras escolas me deram a oportunidade de divulgar a minha mensagem, e ensinar na melhor das melhores tem sido uma preciosa experiência de aprendizado. Cornell, Wharton, NYU, RPI, Tulane, Universidade do Alabama, Penn State, Smith — todas foram extremamente prestimosas, e agradeço imensamente a fé que tiveram em meu trabalho.

O Institute of Management Studies é outra organização que muito tem apoiado meu trabalho. Gordon Peters, Jon Peters, a equipe do IMS e muitos diretores regionais tornaram-se meus colegas de trabalho favoritos; estou profundamente lisonjeado com os elogios que tenho recebido do IMS.

Sue Gold mostrou-se uma valiosa assistente. Tenho certeza de que trabalhar para mim é um desafio maior do que correr qualquer maratona. E ela sempre consegue chegar na frente!

Em seguida vem Eric Koch, que, como novato dos Jets em 1996, mostrou estar ali na disputa da bola. Ele é de confiança, embora não tenha a gana de Elliot Macht, que superou seu início fraco, mas, como Rivera, mostrou-se um excelente finalizador quando a situação ficava difícil.

Meus dois sobrinhos me deram grande prazer e são sempre uma fonte de divertimento. Depois de muito pensar achei que não tinha outra escolha senão retirar de Derek, antes conhecido como "Sweet Meiser", seu apelido de "Sweet" (doce), quando ele mostrou falta de sensatez ao comemorar antecipadamente a vitória dos Braves nos dois primeiros jogos e o fato de estarem ganhando por 6 a 0 o quarto jogo. Esse título passou para o meu sobrinho Randy, que mostrou ter estofo de campeão. "Sweet Randy": faça o seu trabalho!

Minha mãe é sempre uma grande fonte de incentivo e otimismo. É a única pessoa que conheço que consegue ficar me assistindo no vídeo 12 horas por dia, interrompendo apenas para ir ao banheiro. Ela está sempre perto, basta lhe telefonar e ela atenderá o telefone depois que ele tocar umas 20 vezes.

Ronnie e Don continuam a ser fontes de estímulo e motivação.

Minha esposa, Lorie, continua ao meu lado, demonstrando paciência, compreensão, apoio e amor.

Em seguida quero agradecer aos chefes das cinco famílias. Meu grande amigo Lee Sachs foi um incentivador ao longo do doloroso processo de fazer um livro; as conversas matinais com Lee sempre me permitiram começar o dia com ótimo estado de espírito. Steve Gold mostrou ser tão precioso quanto o seu sobrenome (ouro). Sempre que precisei de um favor, lá estava ele para me encorajar.

Agora, os três italianos da Costa. Ken Cinnamon mostrou sempre ser o *consigliere* mais criativo de todos, dando-me idéias valiosas e dedicando muito do seu tempo a me ajudar a planejar meu trabalho. Ele é também meu único amigo que tem a esperteza de possuir um Boxster! Lenny Levine é um grande amigo dos velhos tempos, quando nós dois éramos como o Império Romano. De agora em diante, Lenny vai dar proteção à minha família no Oeste e cuidar apenas das atividades na Costa Oeste. Você está fora, Lenny — não por culpa sua, mas vão acontecer coisas nas quais você não deve tomar parte. Finalmente, há Ron Podell, que sempre me ofereceu muita segurança e muita amizade. E o que é mais importante: Ron sempre teve uma visão ampla — especialmente na casa dele.

Quero agradecer também a todas as outras pessoas que mostraram interesse no meu trabalho e me ajudaram de várias maneiras. Obrigado a todos, e não deixem de aplicar a sua inteligência emocional.

H. W.

Introdução

Há quase 20 anos presenciei um diálogo que despertou meu interesse pela inteligência emocional. Na época eu fazia pós-graduação e trabalhava num centro de saúde mental; certo dia, estava eu conversando com um grupo de colegas quando um psiquiatra da equipe irrompeu na sala e começou a berrar com uma mulher que fazia o curso de assistente social. "Você não sabe o que faz!", ele gritou, com os olhos faiscando de raiva. "Está causando ao paciente um mal irreparável!"

Implacável, o psiquiatra continuou a atacar minha amiga durante um bom tempo, repetindo inúmeras vezes suas acusações. Assim como as outras pessoas, eu me senti constrangido por causa dela. E comecei a ficar com raiva do psiquiatra, especialmente quando minha amiga fugiu chorando. Ainda assim o psiquiatra continuou o ataque, dizendo: "Esta atitude é típica do comportamento defensivo dela!"

Essa experiência mostrou que uma crítica feita de maneira destrutiva provoca um colapso emocional. Tal constatação levou-me a querer saber como uma crítica pode ser usada de maneira construtiva, de modo que tanto a pessoa que a faz quanto a que a recebe tirem da experiência algum proveito. Embora na ocasião eu não soubesse disso, a crítica construtiva é um elemento essencial da inteligência emocional.

Outro elemento decisivo é o controle da raiva — uma técnica que explorei dois anos depois, durante o período em que trabalhei como interno num hospital de veteranos de guerra. Foi lá que percebi que muitas pessoas da equipe do hospital sabotavam seus próprios esforços porque não conseguiam entender e desarmar sua raiva. Notei o mesmo problema entre os pacientes. Isso me levou a procurar meios através dos quais as pessoas pudessem aprender a controlar sua raiva.

Ao longo dos anos seguintes, através de meus próprios estudos clínicos e da leitura de inúmeras pesquisas, aprendi que a maioria das pessoas tem dificuldade em controlar situações emocionalmente instáveis, particularmente quando as emoções em questão são a raiva e a ansiedade. Quando a essa dificuldade vem juntar-se a dificuldade de comunicação — como no caso daquele psiquiatra —, os resultados podem ser desastrosos.

Na década de 80, quando comecei a oferecer consultoria para empresas, percebi até que ponto a incapacidade de controlar as próprias emoções e comunicar-se eficazmente leva a conflitos repetidos e não-resolvidos, à falta de entusiasmo e ao decréscimo da produtividade. Então comecei a procurar meios pelos quais as pessoas pudessem aprender a usar suas emoções de maneira produtiva e desenvolver a capacidade necessária para manter um bom relacionamento com os outros.

Essa pesquisa teve prosseguimento em quatro livros, como também na minha atividade clínica e de consultoria, e nas palestras que faço. Este livro representa a culminância do meu trabalho a respeito da inteligência emocional e sua aplicação numa grande variedade de empresas, desde algumas que figuram na lista das 500 da *Fortune* até pequenos negócios, de companhias que fabricam miudezas até as que criam produtos intelectuais, de empresas baseadas em Manhattan até outras em Miami ou Milwaukee. Aprendi muita coisa e fico feliz em poder compartilhar com você o meu conhecimento.

Definição de Inteligência Emocional

A inteligência emocional é simplesmente o uso inteligente das emoções — isto é, fazer *intencionalmente* com que suas emoções trabalhem a seu favor, usando-as como uma ajuda para ditar seu comportamento e seu raciocínio de maneira a aperfeiçoar seus resultados.

Vamos supor que você tenha que fazer uma apresentação importante, e sua autoconsciência (outra área da inteligência emocional) lhe mostre que você está se sentindo extremamente ansioso; sua inteligência emocional iria então ditar-lhe uma série de ações: você poderia reprimir todo pensamento destrutivo, usar o relaxamento para diminuir o nervosismo e cessar qualquer comportamento contraproducente — tal como ficar andando de um lado para o outro. Agindo assim, você reduziria sua ansiedade o bastante para fazer sua apresentação com confiança.

É quase infinito o número de casos em que a inteligência emocional pode ser aplicada no local de trabalho: para resolver um problema complicado com um colega, fechar um contrato com um cliente intratável, criticar o chefe, dedicar-se com entusiasmo a uma tarefa até completá-la, e muitos outros desafios relacionados ao seu sucesso. A inteligência emocional é usada tanto intrapessoalmente — para ajudar a si mesmo — quanto interpessoalmente — para ajudar outras pessoas.

Os Componentes da Inteligência Emocional

Sua inteligência emocional provém de quatro componentes, que agem como os componentes do DNA; quando alimentados pela experiência, eles lhe permitem desenvolver habilidades e aptidões específicas, que vão formar a base da sua inteligência emocional. Ao contrário do seu DNA biológico, porém, os componentes da sua inteligência emocional podem ser desenvolvidos para lhe dar condições de expandi-la significativamente. Esses componentes foram identificados pelos psicólogos pioneiros John Mayer, da Universidade de New Hampshire, e Peter Salovey, de Yale, que também criou a expressão "inteligência emocional" em 1993.

Cada um desses quatro componentes representa certas aptidões que, reunidas, dão origem à sua inteligência emocional; cada nível subseqüente incorpora as aptidões dos níveis anteriores, sendo construídos, assim, de forma hierárquica.

Esses quatro componentes são:

- A capacidade de perceber, avaliar e expressar corretamente uma emoção
- A capacidade de gerar ou ter acesso a sentimentos quando eles puderem facilitar sua compreensão de si mesmo ou de outrem
- A capacidade de compreender as emoções e o conhecimento derivado delas
- A capacidade de controlar as próprias emoções para promover o crescimento emocional e intelectual

Ao longo deste livro veremos como cada um desses componentes ajuda a desenvolver as aptidões que, em conjunto, formam nossa inteligência emocional.

A Inteligência Emocional no Trabalho

Nos últimos quatro anos, muitas pesquisas foram feitas no campo da inteligência emocional, abrangendo, entre outras áreas, a identificação de métodos para medir a inteligência emocional, determinar a importância do desenvolvimento das técnicas da inteligência emocional para a eficiência pessoal e aplicar e integrar a inteligência emocional em ambientes variados — inclusive nas salas de aula.

Neste livro decidi enfocar especificamente a aplicação da inteligência emocional no local de trabalho, uma área em que percebi haver grande necessidade. Durante quase 20 anos de trabalho como psicólogo-consultor de dezenas de empresas e órgãos públicos, constatei que a falta de inteligência emocional prejudica o progresso e o sucesso, tanto do indivíduo quanto da empresa, e, inversamente, que o uso da inteligência emocional leva a resultados produtivos, tanto no que diz respeito ao indivíduo quanto à organização. Constatei também que, quando os empregados usam sua inteligência emocional, ajudam a construir uma organização emocionalmente inteligente, na qual cada um se responsabiliza pelo crescimento da sua própria inteligência emocional, pela aplicação da sua inteligência emocional no relacionamento com as outras pessoas e pela aplicação das aptidões da sua inteligência emocional na organização como um todo.

Através de minhas palestras percebi que os empregados não estão preocupados com a teoria, mas sim com os aspectos práticos da inteligência emocional: querem aprender especificamente a aplicar as técnicas da inteligência emocional à sua própria situação de trabalho. Portanto, escrevi *Inteligência Emocional no Trabalho* de modo a ser uma obra de fácil compreensão, com uma abordagem interativa e o propósito de permitir ao leitor acessar, desenvolver e aplicar sua inteligência emocional com a maior facilidade, eficiência e eficácia possíveis.

Para isso, incluí dezenas de exemplos que ilustram, muito melhor do que qualquer discussão pedagógica, as aplicações da inteligência emocional no dia-a-dia. Incluí também exercícios que oferecem uma abordagem clara, passo a passo, ao aprendizado de determinadas técnicas — tais como, por exemplo, prestar atenção nas alterações do seu nível de excitação. Você vai encontrar ainda várias sugestões para usar uma determinada capacidade de maneira mais produtiva.

Ao longo do livro você encontrará também seções intituladas "A Inteligência Emocional em Ação"; trata-se de relatos pessoais, recolhidos ao longo dos anos, de indivíduos que participaram das palestras que fiz para empresas integrantes da lista das 500 da *Fortune*, órgãos do governo federal, o Exército, hospitais, escolas e cursos de gerenciamento de empresas. (Utilizei pseudônimos e alterei alguns dados de identificação para preservar o anonimato dos entrevistados.) Espero que esses relatos ajudem a esclarecer ainda mais o que reafirmo ao longo de todo o livro: a inteligência emocional *realmente* funciona.

Inteligência Emocional no Trabalho é dividido em duas partes. A primeira diz respeito ao uso *intrapessoal* da sua inteligência emocional — como desenvolver sua inteligência emocional e usá-la em seu benefício; a segunda parte se ocupa do uso *interpessoal* da sua inteligência emocional — como usá-la com eficácia no seu relacionamento com os outros. Agora apresentarei um resumo daquilo que é tratado em cada capítulo.

Parte Um: Como Expandir sua Inteligência Emocional

Capítulo 1: Como Ampliar a Autoconsciência

Com um grau elevado de autoconsciência você consegue monitorar-se, observar-se em ação, para que possa influenciar seus próprios atos de tal maneira que eles funcionem em seu benefício. Tendo consciência, por exemplo, de que o seu tom de voz está ficando mais alto e você está ficando cada vez mais irritado com o cliente que está fazendo mais uma exigência descabida — e reconhecendo, é claro, a importância desse cliente para o seu trabalho —, você pode muito bem baixar o tom da voz, desarmar a raiva e responder respeitosamente. Neste capítulo aprenderemos, em primeiro lugar, que um grau elevado de autoconsciência é o alicerce sobre o qual são construídas todas as outras aptidões da inteligência emocional; em seguida vamos investigar como você pode desenvolver essa autoconsciência utilizando a abundância de informações a seu próprio respeito que estão à sua disposição: seus pensamentos e sentimentos, suas interpretações, emoções, sensações e intenções.

Capítulo 2: Como Controlar suas Emoções

Diferentemente de reprimir suas emoções (o que irá privá-lo das valiosas informações que elas podem lhe fornecer), controlar suas emoções significa compreendê-las e então usar essa compreensão para lidar com as situações da maneira mais produtiva. Por serem as emoções produzidas por uma interação de: (1) seus pensamentos, (2) alterações fisiológicas e (3) suas atitudes como reação a um acontecimento externo, você pode controlar suas emoções controlando cada um desses três componentes, como veremos neste capítulo. Uma vez que a emoção negativa geralmente é provocada por uma situação problemática — por exemplo, uma iminente reestruturação no seu departamento está lhe causando angústia —, em seguida veremos como você pode acertar seu termostato emocional num nível que lhe permita pensar produtivamente. Então você poderá praticar a resolução de problemas de forma a seguir o melhor curso de ação para desembaraçar a situação.

Capítulo 3: Como se Motivar

Quando você está motivado, é capaz de iniciar uma tarefa, persistir nela, prosseguir até concluí-la e lidar com quaisquer obstáculos que possam surgir. Felizmente existem fontes onde você pode buscar motivação, e neste capítulo vamos examinar cada uma delas: você mesmo; o apoio de amigos, parentes e colegas; um mentor emocional (uma figura-modelo, real ou fictícia); seu ambiente (o ar, a iluminação, os ruídos no seu escritório). Incentivando e fortalecendo a confiança, a tenacidade, a flexibilidade, o otimismo e o entusiasmo, essas fontes podem ajudá-lo a motivar-se e permanecer motivado, e a transformar percalços — o fim de um emprego ou um relatório difícil de fazer — em sucessos.

Parte Dois: Como Usar sua Inteligência Emocional nas Relações com as Outras Pessoas

Capítulo 4: Como Desenvolver Técnicas de Comunicação Eficazes

A base de qualquer relacionamento é a comunicação: a comunicação estabelece vínculos, e o vínculo forja um relacionamento. É incalculável o valor da capacidade de comunicar-se eficazmente no local de trabalho —

basta pensar em tentar resolver um conflito com um colega de trabalho, falar com o chefe sobre a incapacidade dele ou escutar as queixas de um cliente, se você não consegue se comunicar bem. Palavras erradas, gestos inconvenientes ou significados dúbios podem levar a desfechos bastante infelizes. Neste capítulo você encontrará cinco técnicas que poderão assegurar as maiores chances de um desfecho positivo nos diálogos com as outras pessoas. São elas: a auto-revelação, a positividade, a escuta dinâmica, a crítica e a comunicação de grupo.

Capítulo 5: Como Desenvolver a Destreza Interpessoal

Relacionar-se bem com os outros significa entrar em contato com eles para permutar informações de maneira expressiva e apropriada. Se você calcular o tempo que dedica a tratar com as outras pessoas, compreenderá facilmente a razão por que "relacionar-se bem com os outros" costuma figurar como qualificação desejável em ofertas de emprego. O que lhe permite um bom relacionamento com as outras pessoas é a destreza interpessoal. Neste capítulo vamos estudar, em primeiro lugar, aquilo que um relacionamento envolve (prover as necessidades um do outro, relacionar-se ao longo do tempo, compartilhar sentimentos, pensamentos e idéias). Depois vamos explorar as duas aptidões que levam à destreza interpessoal: a capacidade de analisar um relacionamento para que você possa conduzi-lo num caminho produtivo e a capacidade de comunicar-se em níveis adequados, de modo que as informações sejam passadas de maneira eficaz.

Capítulo 6: Como Ajudar Outras Pessoas a se Ajudarem

Uma organização de trabalho é um sistema integrado que depende do inter-relacionamento dos indivíduos que fazem parte dela — por isso é tão importante para o sucesso da empresa que não apenas todos os empregados usem o melhor de sua capacidade, como também ajudem outras pessoas a fazer o mesmo. No contexto da inteligência emocional isso significa ajudar as pessoas a controlar suas emoções, comunicar-se eficientemente, solucionar seus problemas, resolver seus conflitos e adquirir motivação. Neste capítulo vamos estudar quatro maneiras específicas pelas quais você pode fazer exatamente isso: mantendo sua perspectiva emocional, sabendo como acalmar uma pessoa descontrolada, sendo um ouvinte solidário e ajudando a planejar e a atingir metas. Finalmente, neste capítulo você verá como sua capacidade de ajudar outras pessoas, unida à sua destreza interpessoal e à sua própria inteligência emocional, pode contribuir para criar uma organização emocionalmente inteligente.

Meus Três Desejos

Incluí neste livro grande quantidade de informações sobre como usar produtivamente sua inteligência emocional no local de trabalho. Você conseguirá entender e utilizar algumas delas quase de imediato; outras informações podem demorar um pouco a se mostrar relevantes e ser adaptadas.

Mas, acima e além dos aspectos práticos da inteligência emocional que você irá estudar amplamente, existem três pontos que eu gostaria que você tivesse em mente ao ler este livro e a cada dia de trabalho. O primeiro é a importância que suas emoções têm no local de trabalho para seu próprio desempenho ali. Embora as emoções exerçam poderosa influência em seu comportamento, há muitos anos elas têm sido consideradas inconvenientes numa situação de trabalho e irrelevantes para os negócios; atualmente, porém, existe uma enorme quantidade de pesquisas mostrando que não apenas as emoções fazem parte da experiência de trabalho, mas também, em grande escala, traçam o curso que a empresa adotará. Este livro demonstra, em dezenas de exemplos, como isso acontece.

Meu segundo desejo é que você apreenda inteiramente o impacto que o desenvolvimento de sua inteligência emocional pode ter em seu sucesso profissional. Por sermos quase todos nós, presumivelmente, impulsionados pelo desejo de sucesso — seja ele uma promoção ou simplesmente a satisfação profissional —, uma vez que tenhamos compreendido como nossa inteligência emocional pode nos levar na direção do sucesso no trabalho, estaremos motivados a usar as aptidões da inteligência emocional com o máximo da nossa capacidade.

E, finalmente, meu terceiro desejo é que o leitor compreenda a necessidade de ajudar outras pessoas a desenvolver sua própria inteligência emocional visando criar uma organização emocionalmente inteligente. Para sentir-se suficientemente inspirado a encorajar o desenvolvimento da inteligência emocional entre todos os empregados da sua empresa é preciso apenas imaginar como seria trabalhar numa empresa onde, por exemplo, todos se comunicam com compreensão e respeito, onde as pessoas planejam metas de grupo e ajudam as outras a trabalhar para atingi-las, onde reinam o entusiasmo e a confiança na empresa.

Essas foram as minhas metas ao escrever este livro, e espero que minha inteligência emocional tenha operado num nível suficientemente alto para que elas possam ter sido atingidas.

Agosto, 1997
Westport, Connecticut

HENDRIE WEISINGER, PH.D.

Parte Um

Como Expandir sua Inteligência Emocional

Suas emoções podem lhe fornecer informações valiosas — sobre você mesmo, sobre outras pessoas e sobre as diversas situações. Uma explosão de raiva dirigida a um colega de trabalho pode alertá-lo para o fato de você estar se sentindo sobrecarregado pelo excesso de trabalho; uma sensação de ansiedade a respeito de uma apresentação pode informá-lo de que precisa estar mais bem-preparado com fatos e números; a frustração com um cliente pode lhe sugerir a necessidade de encontrar outros meios de se comunicar com ele. Utilizando as informações que suas emoções lhe fornecem você pode alterar seu comportamento e seu raciocínio de modo a reverter situações: no caso da explosão de raiva, por exemplo, você poderia procurar meios de reduzir sua carga de trabalho ou facilitar seu processo de trabalho.

Como você vê, as emoções desempenham um papel importante no seu local de trabalho. Da raiva à euforia, da frustração ao contentamento, todos os dias no escritório você se defronta com emoções — suas e alheias. O truque é usar suas emoções de maneira inteligente — o que vem a ser, simplesmente, aquilo que definimos por inteligência emocional: fazer intencionalmente com que suas emoções trabalhem em seu benefício, usando-as para ajudar-se a orientar seu comportamento e seu raciocínio de maneira a obter melhores resultados.

A boa notícia é que a inteligência emocional pode ser nutrida, desenvolvida e ampliada — não se trata de uma característica impossível de adquirir. A maneira de expandir sua inteligência emocional é aprender e praticar as técnicas e aptidões que a compõem — entre elas, a autoconsciência, o controle emocional e a motivação.

Na Parte Um você verá como expandir sua inteligência emocional desenvolvendo a autoconsciência, aprendendo a controlar as emoções e tornando-se capaz de motivar-se. Uma vez familiarizado com os meios de usar sua inteligência emocional em relação a si mesmo, você passará para a Parte Dois, onde aprenderá a usar sua inteligência emocional para garantir que o seu relacionamento com clientes, fornecedores, colegas de trabalho e chefes seja o mais produtivo possível.

1

Como Ampliar a Autoconsciência

Ao longo de um dia de trabalho é possível que você tenha que conversar com um cliente encolerizado, tranqüilizar um chefe ansioso, apresentar uma idéia durante uma reunião; são vários os fatores que influenciarão seu desempenho em cada uma dessas atividades. Por exemplo: se o cliente encolerizado tem feito uma exigência descabida atrás de outra, então você poderia muito bem perder a paciência com ele; se está confiante quanto ao seu papel em um projeto, provavelmente conseguirá acalmar a preocupação do chefe; se acredita que seus colegas o julgam inexperiente demais para esse trabalho, pode se sentir tímido e inseguro na hora de lhes apresentar suas idéias durante uma reunião.

A consciência dos seus próprios sentimentos e atitudes, assim como da percepção que os outros têm de você, pode influenciar seus atos de tal maneira que eles funcionem em seu benefício. Vamos supor que no primeiro exemplo você tem consciência de que seu cliente está abusando de você, e sabe também que hostilizá-lo poderia ter conseqüências funestas; seu curso de ação poderá muito bem ser tentar acalmá-lo, em vez de irritá-lo ainda mais mostrando falta de paciência. No caso do chefe ansioso, se você perceber que ele está preocupado porque muita coisa vai depender do sucesso de um determinado projeto, então poderia cuidar de lhe contar o que fez e assegurar-lhe que o projeto será bem recebido. No último exemplo, se tem consciência de que seus colegas o consideram inexperiente, provavelmente desejará estar bem-preparado antes de apresentar suas idéias.

O truque, neste caso, é recorrer à abundância de informações sobre si mesmo que estão ao seu alcance: sentimentos, sensações, avaliações, ações e intenções. Elas irão ajudá-lo a compreender como reagir, agir, comunicar e operar em diferentes situações, e ter autoconsciência significa processá-las. Neste capítulo vamos aprender que o desenvolvimento da autoconsciência pode ajudá-lo a ser mais eficiente no ambiente de trabalho.

Por que a Autoconsciência é o Elemento Básico da Inteligência Emocional

Como aprendemos na Introdução, você pode expandir sua inteligência emocional aprendendo a controlar suas emoções e a motivar-se; pode também maximizar a eficácia da sua inteligência emocional desenvolvendo sua capacidade de comunicação, sua destreza interpessoal e sua habilidade como mentor emocional. A autoconsciência está no cerne de cada uma dessas aptidões, porque a inteligência emocional só pode começar quando a informação entra no sistema perceptivo. Por exemplo: para conseguir controlar a raiva, você tem que ter consciência daquilo que a provoca e de como essa poderosa emoção o afeta — então poderá aprender a reduzi-la e usá-la acertadamente; para driblar o desânimo e conseguir se motivar, precisa ter consciência do modo como você permite que afirmações negativas a respeito de si mesmo sabotem seu trabalho; para ajudar os outros a se ajudar, precisa ter consciência de seu envolvimento emocional na relação.

A autoconsciência aguçada lhe permite monitorar-se, observar-se em ação. Estando você no centro do seu universo, precisa primeiramente compreender o que o faz agir como age, antes de começar a alterar seu comportamento em busca de melhores resultados. Precisa compreender aquilo que é importante para você, a maneira como experimenta as coisas, o que quer, como se sente e como se dirige aos outros. Esse conhecimento subjetivo a respeito da natureza de sua personalidade não apenas orienta sua conduta em cada situação, como vimos nos exemplos acima, mas também lhe fornece uma estrutura sólida para fazer escolhas melhores. Essas escolhas podem ser triviais ("Que telefonema de recusa devo dar primeiro?") ou cruciais ("Se aceitar este novo emprego, estarei trabalhando com 50 pessoas, e sei que esse tipo de situação me faz sentir tímido e inseguro; se continuar aqui, vou ganhar menos, porém vou me sentir seguro e confortável, e é disso que estou precisando agora.").

Para navegar com eficiência no seu mundo de trabalho, para saber o rumo a tomar e como permanecer nele, você precisa de um giroscópio. Pense na sua autoconsciência como sendo um giroscópio que o mantém centrado e o alerta imediatamente quando você se desvia do curso.

Como um Baixo Grau de Autoconsciência Pode Prejudicar sua Atuação

Há alguns anos, em uma de minhas palestras, um roteirista — que vamos chamar de Larry — relatou um diálogo infeliz com uma produtora de TV a quem ele apresentara um roteiro no qual tinha trabalhado com extraordinário empenho. Quando conversaram sobre o roteiro, a produtora afirmou que aquele era um dos piores que ela já lera. "Ela foi ríspida, estava irritada", Larry contou. Dias depois, o roteirista esbarrou com a produtora na cantina do estúdio e resolveu contar-lhe que havia ficado muito magoado com o tratamento que ela lhe dispensara. "Ela ficou atônita", ele relatou. "Negou que tivesse sido ríspida ou que estivesse irritada. E não estava se defendendo, acreditava mesmo nisso."

É óbvio que essa produtora não tinha consciência, não apenas de como se dirigira a Larry, mas também dos seus verdadeiros sentimentos: raiva porque o roteiro não era o que ela queria e frustração por estar desperdiçando seu tempo. Além de perder o roteirista, que jurou que nunca mais lhe apresentaria outro trabalho, ela acabou perdendo também o emprego.

Nos exemplos anteriores fica claro que um baixo grau de autoconsciência poderia ter levado a desfechos bem diferentes. Não reconhecendo a irritação que o cliente lhe provoca, portanto incapaz de controlá-la, você acabaria aos gritos com ele, prejudicando assim a relação dos dois; não entendendo a aflição do seu chefe, você poderia não fazer caso das preocupações dele, provocando-lhe mais aflição e falta de confiança em sua capacidade; não percebendo as dúvidas dos colegas sobre sua capacidade, você talvez não se preparasse para a reunião, dando-lhes assim ampla justificativa para as dúvidas deles.

Carecendo de autoconsciência, você carece de informações necessárias para tomar decisões eficientes. É de se presumir que você não escolheria um vendedor, preterindo outro, sem ter informações suficientes sobre cada um dos candidatos, caso contrário estaria prejudicando sua decisão; do mesmo modo, quando você age num estado de baixo grau de autoconsciência, prejudica sua reação às pessoas e às situações, enfrentando-as munido de informações insuficientes.

Como Ampliar sua Autoconsciência

Já aprendemos que a autoconsciência é essencial para a inteligência emocional, vimos como ela é importante para seu sucesso no trabalho e como a falta dela prejudica sua eficiência; agora vamos examinar como você pode ampliar sua autoconsciência. Não será necessário passar horas no divã de um psiquiatra; para expandir sua autoconsciência, você precisa de um período de tempo de séria introspecção e coragem para explorar suas reações às pessoas e aos acontecimentos de sua vida profissional. É necessário, especificamente:

- Examinar o modo como faz avaliações
- Atentar para seus sentidos
- Entrar em contato com seus sentimentos
- Identificar suas intenções
- Prestar atenção em seus atos

Em seguida vamos estudar cada um desses passos.

Examine Como Você Faz Avaliações

Avaliações são todas as diferentes impressões, interpretações, apreciações e expectativas que você tem de si próprio e das outras pessoas e situações. Elas são influenciadas pelos vários fatores que configuram sua personalidade (*background* familiar, experiências anteriores, talentos inatos, princípios religiosos), e geralmente têm a forma de pensamentos ou de um diálogo interno ("Esta apresentação vai ser um desastre. Vou perder esse contrato."). Tomando consciência das suas avaliações, você fica sabendo como seus pensamentos influenciam seus sentimentos, suas ações e reações, podendo assim alterá-los.

No caso da apresentação, por exemplo, a impressão que você tem de si mesmo é de que não conseguirá lidar com a situação; a expectativa que tem do desfecho é de um completo fiasco. Esta avaliação negativa poderia levar ao que chamamos de "profecia que age para se tornar realidade" (seus temores sobre a apresentação o deixam visivelmente nervoso, você parece não ter total domínio dos fatos ou da situação e acaba perdendo mesmo o contrato). Mas se identificar uma tendência negativa nas suas avaliações, você poderá tentar conferir uma propensão positiva ao seu diálogo interno ("Vou me sair bem, tenho todos os fatos à mão, está tudo em ordem."). Isso lhe permitirá tranqüilizar-se, relaxar e fazer a apresentação de modo claro e eficiente.

Dicas para Tomar Consciência de Como Fazer suas Avaliações

1. Use frases iniciadas com "Eu penso".

"Eu penso que é uma boa idéia", "Eu penso que devo procurar essas pessoas", "Eu penso que ele não está trabalhando tanto quanto devia" — usando intencionalmente frases iniciadas com "Eu penso", você ajuda a esclarecer o que pensa e, além disso, reconhece que é a pessoa responsável pelas suas avaliações (isto é importante, como você verá a seguir).

2. Conduza regularmente um diálogo interno.

Trata-se da conversa que você tem consigo mesmo, como no exemplo da apresentação. Escolha um horário regular durante o dia para conversar consigo mesmo: "Acho que meu chefe não foi razoável quando me pediu para processar mais encomendas do que estou acostumado a fazer", "Ainda estou tendo dificuldades para trabalhar com o fulano", "Acho que a apresentação foi muito boa". Gradualmente você toma consciência dos padrões que porventura existam no seu diálogo interno. (Eles sempre refletem insegurança, muitas vezes levantam dúvidas, parecem sempre tomar o curso positivo.) Ao identificar os padrões, você pode então averiguar se o seu diálogo interno trabalha contra você ou a seu favor. Por exemplo, levantar dúvidas ("Acho que o novo horário não vai funcionar.") pode muitas vezes ser uma boa coisa, porque o leva a questionar regras, decisões, ações; por outro lado, se você sempre tem dúvidas, pode ser que tenha resistência a mudanças, o que provavelmente lhe será desfavorável.

3. Reflita sobre os encontros em momentos de calma.

Depois de uma conversa com o chefe, um colega ou com toda a equipe, você deve reservar alguns minutos para se perguntar o que foi que influenciou sua avaliação da conversa. Vamos dizer que você conversou com o chefe e saiu dali pensando: "Ele não sabe o que diz"; então pode se perguntar se isso é mesmo verdade ou se ele apenas discorda de você mas sabe realmente o que diz. Você pode também querer saber se o fato de o chefe ter sido promovido a essa posição, à qual você também era candidato, lhe faz considerar errado tudo que ele diz. Desenvolvendo esse diálogo interno quando você está calmo, provavelmente suas avaliações serão mais flexíveis e racionais, e isso vai ajudá-lo a chegar às conclusões corretas.

4. Procure ouvir outras pessoas.

Qualquer acontecimento pode ser avaliado a partir de pontos de vista diferentes, de modo que costuma ser uma boa idéia perguntar a outras pessoas, de vez em quando, qual foi a avaliação delas a respeito de determinado acontecimento. No caso da conversa com o chefe, se houvesse outras pessoas presentes seria bom perguntar-lhes se, na opinião delas, o chefe estava certo, inteiramente informado sobre os fatos, se os apresentava de maneira lógica. As respostas podem ajudá-lo a ver se sua avaliação da conversa estava inteiramente errada ou perfeitamente correta — ou alguma coisa entre os dois.

Tomando consciência de como faz suas avaliações, você aumenta suas chances de fazer avaliações justas, corretas, perceptivas. Porém, sendo elas tão subjetivas, você corre o risco de ir longe demais, ignorando as avaliações das outras pessoas ou imaginando que as suas são imutáveis. Há também a possibilidade de você não levar suas avaliações até onde elas devem ir, não reconhecer o efeito delas nas suas reações ou não confiar que sejam exatas.

Eis alguns pontos que você deve ter em mente ao aprender a fazer avaliações.

Dicas para Fazer Avaliações Corretas

1. Reconheça que são as suas avaliações que provocam as suas reações, e não um determinado acontecimento ou o comportamento de outrem.

O que o afeta positiva ou negativamente não são os acontecimentos ou as pessoas, e sim o significado que você lhes atribui. Vamos dizer que, depois da apresentação do seu trabalho sobre os meios de tornar o escritório ergonomicamente saudável, todos tenham elogiado suas sugestões e a profundidade da sua pesquisa sobre o assunto; mais tarde você poderia pensar: "Eles me fizeram ganhar o dia." Mas não foram *eles*; o que o deixou feliz foi ter avaliado sua apresentação como um grande sucesso. Inversamente, se críticas negativas ao seu trabalho o tivessem decepcionado, sua decepção seria pela sua avaliação, não pelas críticas dos colegas. Fazendo essa distinção você se responsabiliza por seu sucesso ou fracasso. Isto é importante, porque você não vai querer dar esse poder a outras pessoas.

2. Acolha suas próprias avaliações sem deixar de dar espaço às dos outros.

Como já vimos, cada pessoa interpreta de modo diferente um mesmo acontecimento; assim como sua avaliação é válida para você, a de cada pessoa é válida para ela, e você tem que respeitar isso. Vejamos um caso: você e uma colega estão entrevistando um candidato ao cargo de recepcionista na empresa; depois da entrevista você declara sua opinião: o entrevistado, Michael, não está muito interessado no emprego, pois não fez qualquer pergunta. Já a sua colega julga que Michael quer o emprego, sim; ela achou que ele parecia entusiasmado e imaginou que, tendo sido recepcionista durante tanto tempo, o rapaz não quisesse ocupar o tempo dos dois com perguntas que ele sabia que poderia responder sozinho depois que começasse a trabalhar. Sua avaliação é válida para você, e a da sua colega é válida para ela.

3. Reconheça que suas avaliações são corretas.

Elas são unicamente suas, e como tal refletem suas experiências anteriores, seu *background*, seus princípios religiosos, seu comportamento e todos os outros fatores que governam a razão e o modo pelos quais você faz aquilo que faz. Muitas vezes esses fatores agem como filtros, afetando e alterando sua percepção da realidade. Mas de qualquer maneira trata-se das suas percepções da realidade, e para você elas são verdadeiras; logo, suas avaliações são corretas — com a condição de que você, tendo seguido todos os passos acima descritos, já saiba como fazer suas avaliações. No exemplo do chefe que parecia não saber o que dizia, sua avaliação só seria correta se antes você tivesse identificado os padrões que influenciaram sua capacidade de fazer avaliações, e evitado aqueles que demostraram não funcionar.

4. Aceite que as avaliações estão sujeitas a mudanças.

É importante reconhecer que seus pensamentos, seus sentimentos e suas avaliações não são imutáveis, mas estão sujeitos a modificações baseadas nas novas informações que lhe são passadas pelas antenas da sua autoconsciência. Vamos dizer que depois de entrevistar Michael (o candidato a recepcionista) você passe pela recepção e o veja conversando com a recepcionista atual, informando-se sobre o trabalho; esse dado novo iria provavelmente alterar sua impressão de que ele não estava interessado no emprego. Isso não significa que sua primeira avaliação estivesse errada, pois naquele momento aquelas eram as informações que você possuía e era a sua percepção da situação.

Atente para seus Sentidos

Seus sentidos — visão, audição, olfato, tato e paladar — são as fontes de todas as suas informações sobre o mundo; é através deles que você recebe informações sobre si mesmo, sobre outras pessoas e diversas situações. Mas costuma acontecer com os seus sentidos uma coisa interessante: eles são filtrados e modificados pelas suas avaliações. Vamos voltar ao exemplo do seu chefe, que você considera um boboca sem capacidade para o trabalho que faz: durante a conversa ele disse que não tivera a oportunidade de estudar melhor o assunto porque havia estado ocupado com outras coisas, mas queria que aquela reunião fosse uma discussão preliminar da questão. Pois bem, você estava tão convencido da incompetência dele que não escutou isso, portanto considerou a falta de informação dele uma conseqüência da burrice, não da falta de tempo. O que aconteceu aí foi que sua avaliação do desempenho dele agiu como um filtro, apagando algumas coisas importantes que seu chefe lhe disse. Quanto maior sua autoconsciência, maior sua capacidade de levar em consideração esse processo de filtragem e fazer a distinção entre informações sensoriais e avaliações.

Como Fazer a Distinção Entre Informações Sensoriais e Avaliações

Em minhas palestras costumo solicitar aos participantes para fazer um exercício que mostra claramente esta distinção. Peço-lhes que, depois de uma conversa de três minutos com outra pessoa, relatem as informações sensoriais que tiveram do outro, ignorando as avaliações, os sentimentos e as conclusões. Eis algumas respostas típicas:

"Você parece triste."
"Vejo que faz movimentos nervosos com o pé."
"Acho que está entusiasmado."

"Triste", "nervoso" e "entusiasmado" são avaliações; eis quais seriam as informações sensoriais importantes:

"Vejo sua testa franzida, os lábios caídos."
"Sinto as vibrações do balanço do seu pé."
"Ouço você falar depressa, em tom veemente."

Por esta lista é fácil ver como a informação sensorial pode ser mal interpretada. No caso da pessoa de testa franzida e lábios caídos, ela podia simplesmente estar concentrada e não triste; seria necessário dispor de mais dados para interpretar as informações sensoriais como tristeza — por exemplo, o chefe dela contou que costuma vê-la sentada sozinha no refeitório, olhando para o espaço, e já a ouviu discutir com o marido.

Além disso, às vezes as informações sensoriais parecem contraditórias. A pessoa entusiasmada da lista acima pode ser observada andando de um lado para o outro em seu escritório, sentada à frente do computador por algum tempo sem nada escrever ou fazendo longas pausas para fumar; essa informação não sugere entusiasmo, e sim procrastinação. Por outro lado, andar de um lado para o outro e adiar o momento de começar o trabalho podem indicar exatamente a maneira peculiar dessa pessoa iniciar um projeto, e no dia seguinte ela pode muito bem passar horas digitando no computador, mostrando-se entusiasmada com o projeto.

Aprendendo a prestar atenção em seus sentidos você será capaz de examinar, esclarecer e alterar suas avaliações sempre que necessário. Eis alguns exercícios que ajudam a ampliar sua consciência sensorial:

Exercícios para Ajudá-lo a Atentar para seus Sentidos

Caminhando pela rua:

1. Respire fundo e tente identificar o maior número possível de odores (o cheiro de metal molhado que vem da grade do metrô, o aroma perfumado de sabão que sai da lavanderia).
2. Preste bastante atenção em todos os sons que ouvir, especialmente aqueles que você geralmente apaga (uma porta de carro batendo ao longe, um avião distante, um neném chorando dentro de um apartamento).
3. Observe cada sensação do seu corpo: o pano das calças contra a pele (macio? pinicante?), o pé dentro do sapato (apertado? folgado?), a superfície sob seus pés (dura? irregular?).

Você pode adaptar este exercício para quando estiver sentado à escrivaninha, à mesa do jantar, em qualquer lugar. Ele tem o mérito de aguçar sua consciência sensorial, o que vai facilitar a distinção entre as informações sensoriais e as avaliações. Isso vai lhe permitir confiar na informação que seus sentidos lhe mandam e fazer uma avaliação correta: "Foi um passeio pouco agradável por causa do cheiro do metrô, das calças pinicando a minha pele, do calçamento irregular da rua."

Durante uma reunião:

Na próxima reunião no escritório tente aferir o estado de espírito do grupo baseado apenas nas informações sensoriais. Provavelmente os seus sentidos de paladar, tato e olfato não estarão fornecendo informações, de modo que você estará usando a visão e a audição.

1. Visão — Preste atenção no modo como as pessoas olham umas para as outras enquanto falam e ouvem: olham-se diretamente nos olhos? (Isso pode indicar confiança.) Quem fala olha para todos ou se concentra numa única pessoa? (A primeira hipótese pode refletir a sensação de estar à vontade com o grupo e de que o grupo é uma equipe.) Os ouvintes têm os olhos fixos no orador ou seus olhares vagueiam? (A primeira hipótese pode sugerir interesse no que a pessoa está dizendo, e a segunda, desinteresse.) Está vendo alguém rir, franzir a testa, olhar com raiva?
2. Audição — Preste atenção nos ruídos do aposento, nas vozes. Quando uma pessoa fala o resto é silêncio, ou você escuta gente se mexendo na cadeira? (A primeira hipótese sugere interesse no que está sendo dito, e a segunda, tédio, talvez.) As pessoas falam em tom estridente? (Isto pode sugerir raiva, frustração.) Gaguejam? (Isto pode refletir uma falta de conhecimento do assunto.) Você escuta muitos cochichos enquanto alguém está falando? (Isto poderia sugerir entusiasmo, se eles gostam do que a pessoa tem a dizer, mas também têm algo a dizer sobre isso; ou desaprovação, eles estão expressando ao vizinho sua discordância.) As pessoas gritam, sussurram, bocejam, interrompem?
3. No final da reunião, estude as informações que reuniu e veja o que pode deduzir sobre o estado de espírito do grupo com base apenas nessas informações: o grupo ficou entusiasmado com as modificações ergonômicas propostas para o escritório; todos pareciam felizes com a concordância da diretoria; pareciam dispostos a trabalhar em conjunto, como uma equipe, para implementar as mudanças; parece que todos entenderam a importância dessas alterações.

Este exercício vai lhe mostrar claramente como é que as informações sensoriais influenciam suas avaliações. Tendo consciência de como isso acontece, você poderá ter mais confiança nos seus sentidos — tirando deles, portanto, avaliações mais exatas.

Entre em Contato com seus Sentimentos

Seus sentimentos são as reações emocionais espontâneas às suas interpretações e expectativas. Como as informações sensoriais, eles lhe fornecem dados importantes, que vão ajudá-lo a entender por que você age como age. Eles o alertam para o seu nível de bem-estar em determinada situação e o ajudam a compreender suas reações. Por isso é tão importante prestar atenção neles.

Vamos dizer que você teve um dia difícil no escritório: o chefe despejou uma tarefa em cima de você, que já tem mais trabalho do que consegue dar conta, e ainda por cima as informações necessárias para você terminar um relatório para o dia seguinte ainda não chegaram. Quando entra em casa, sua filha corre para recebê-lo aos saltos, tentando mostrar um desenho que fez. Aos gritos você a manda para o quarto. Exteriormente parece que está zangado com sua filha, mas se parar para se perguntar o que estava realmente acontecendo perceberá que estava com raiva do chefe e frustrado com a quantidade de trabalho a fazer. Sua filha faz a mesma coisa todos os dias, e isso geralmente leva você a pegá-la no colo, abraçá-la e olhar os desenhos. Se no caminho para casa você tivesse atentado para a angústia que sentia, identificando-a como raiva e frustração, poderia ter evitado a reação hostil para com a criança.

Prestar atenção em nossas emoções não é uma coisa fácil para a maioria de nós. Parte do problema é que para prestar atenção nos sentimentos — especialmente os negativos como raiva, tristeza e ressentimento — precisamos senti-los, e isso pode doer. Assim, preferimos ignorá-los, negá-los ou racionalizá-los. Agindo desse modo, conseguimos evitar por algum tempo essa sensação negativa, mas nos privamos de utilizar as valiosas informações que esses sentimentos poderiam nos dar, deixando assim de usar nossas emoções de maneira inteligente.

Vamos dizer que você está furioso com uma colega porque ela não está fazendo a parte que lhe cabe e você tem que fazer o trabalho dela. Você não fala sobre isso com ninguém; finge não estar zangado, apenas sobrecarregado. Diz a si mesmo que Emily é jovem, portanto não tem noção daquilo que deveria estar fazendo. Mostra-se impaciente com ela e cansado e nervoso em casa, sem saber direito a razão. Porém, se você se perguntasse o que estava realmente acontecendo, tomando consciência da sua raiva e do seu ressentimento, teria condições de descobrir o motivo: sua percepção da incapacidade de Emily. Reconhecendo a raiva, você tem oportunidade de controlá-la produtivamente — pode sair para almoçar com Emily e lhe perguntar se ela está tendo dificuldades com o trabalho, se há como ajudá-la; pode também conversar com o chefe sobre o problema. No próximo capítulo falaremos com mais vagar sobre o controle das emoções. O que deve ser ressaltado é que ao ignorar ou negar suas emoções você se priva da capacidade de agir através delas. Os sentimentos negativos podem muitas vezes degenerar, deixando-o pior do que se você tivesse prestado atenção neles. Ao reconhecê-los, você será capaz de controlá-los e seguir em frente.

Embora seja difícil entrar em contato com os próprios sentimentos, não é impossível; como todos os outros passos para expandir sua autoconsciência, isso exige aprendizado e prática. As dicas a seguir irão facilitar sua tomada de consciência dos próprios sentimentos.

Dicas para Entrar em Contato com Seus Sentimentos

1. Atenção às manifestações físicas correspondentes.
Embora os sentimentos sejam internos, muitas vezes apresentam manifestações externas; prestando atenção nesses sinais exteriores você poderá começar a entender os sentimentos que eles refletem. Por exemplo: se você sente o rosto quente durante uma conversa, pode ser que esteja embaraçado; se sente o estômago contraído, pode estar nervoso. Se você sente o corpo relaxado na cadeira, deve estar à vontade com a outra pessoa. Digamos, neste caso, que a pessoa com quem você está falando é um empregador em potencial; depois da entrevista você se pergunta como se sentiria trabalhando com essa pessoa. Ela parecia muito exigente em relação às tarefas que você deveria executar, fazendo com que você duvidasse da sua própria capacidade. Por outro lado, você se sentiu relaxado e à vontade, sentado ali, de modo que talvez seja bom trabalhar com ela.

2. Atenção às correspondentes manifestações de comportamento.
Os sentimentos costumam provocar certos comportamentos, e repassando-os do fim para o início, examinando as manifestações dos sentimentos nas suas atitudes, você poderá descobrir qual é o sentimento em ação. Por exemplo: se durante uma conversa você está apertando com força os braços da cadeira, pode estar com raiva; se você se flagra batucando com o lápis na mesa, pode estar ansioso; se está sorrindo, provavelmente está feliz. Todos esses sinais de comportamento são pistas para seus sentimentos.

O exercício que vem a seguir vai ajudá-lo a entrar em contato com os seus sentimentos.

Exercício: Mantenha um Diário de Sentimentos

Se isso parece tarefa escolar, é bom lembrar que na famosa escola de administração de empresas da Northwestern University os estudantes do primeiro ano são obrigados a manter um Diário de Sentimentos. As razões para isso são as mesmas pelas quais recomendo este exercício, em primeiro lugar porque se trata de um meio excelente para torná-lo mais consciente das suas emoções em geral. Em segundo lugar, isso vai lhe permitir uma visão do papel que suas emoções desempenham em sua vida profissional. Eis o que deve ser feito:

1. Em diferentes momentos — ou no final — de cada dia de trabalho, anote numa caderneta os sentimentos experimentados durante o dia e aquilo que os provocou. Dessa lista podem constar: alívio porque a empresa de transporte telefonou de volta, receio de que a tarefa não fique pronta a tempo, alegria porque seu pedido de férias foi aprovado, ansiedade por causa da demissão de cinco funcionários. Todos os sentimentos devem ser anotados, por mais vagos que pareçam ser.

2. Releia todas as anotações no final de algumas semanas ou um mês. Você constatou que certas emoções são mais freqüentes que outras (por exemplo, você sente raiva muitas vezes)? Você experimenta sempre os mesmos sentimentos pelas mesmas razões (ansiedade constante por causa do atraso nas ordens de serviço)? Examinando estas questões você poderá verificar se há condições de fazer alguma coisa para aliviar a ansiedade; se não houver — nos casos como, por exemplo, o medo de ser despedido —, então poderá buscar um meio de controlar essa emoção para que ela não interfira negativamente no seu dia de trabalho. No próximo capítulo você aprenderá a controlar suas emoções.

O Diário dos Sentimentos lhe permite identificar as emoções que você sente e aquelas que tendem a se repetir; você pode usar esse conhecimento para tentar descobrir a razão de estar sentindo certas emoções — e, caso elas sejam negativas, encontrar um meio de alterar a situação para deixar de senti-las. Além disso, ao reler seu diário você poderá ter uma idéia das emoções que não está sentindo. Vamos dizer que não está sentindo contentamento ou alegria; nesse caso é bom se perguntar por que, e pesquisar o que pode fazer sobre isso.

Exercício: Reviva Mentalmente uma Situação Aflitiva

Com certeza este exercício parece muito divertido... Ele tem um valor muito grande, pois ao reviver na mente uma experiência difícil ou dolorosa você aprende sobre a sua reação emocional às situações, fazendo com que a emoção pareça menos violenta.

Com freqüência relutamos em entrar em contato com emoções que nos perturbam, mas em geral é através delas que conseguimos aprender mais; assim, é proveitoso saber como estudá-las. Eis um exercício que ensina a fazer isso:

1. Mentalize a situação angustiante:
   Escolha um lugar e um momento de calma. Feche os olhos e evoque a experiência que lhe provocou depressão, tristeza, mágoa.

2. Tente reconstruir o cenário com a maior clareza possível:
   Isso vai lhe ajudar a entrar em contato com suas emoções. Por exemplo: o chefe o chamou à sala dele para uma conversa. Você entrou e sentou-se; a cadeira de plástico era incômoda; sobre a mesa havia fotos dos filhos dele; pela janela você avistava a neve acumulada no telhado do depósito e ouvia os caminhões transitando lá fora.

3. Tente reconstituir a conversa:
   "Janine, sou obrigado a lhe dizer que sua produção está consideravelmente abaixo da média dos outros membros da sua equipe. Sabe que temos pressa em colocar o produto no mercado antes do fim do ano. Não sei o que está acontecendo com você, mas gostaria que me informasse; se não está em condições de fazer esse trabalho, tenho uma lista enorme de pessoas que estão."

4. Tente reviver as emoções que sentiu durante a conversa:
   A vergonha de ter seu trabalho criticado e sua capacidade questionada; a raiva pela falta de compreensão do chefe (afinal o seu trabalho era muito mais complicado do que o do resto da equipe); o terror de perder o emprego, não conseguir encontrar outro, perder a casa e ficar na rua com seus filhos; a mágoa pelo fato de o chefe não ter reconhecido a dedicação que você demonstrou todos esses anos, mesmo na ocasião em que os benefícios foram cortados.

5. Pergunte a si mesmo se suas emoções pareciam razoáveis:
   O terror foi, provavelmente, uma reação exagerada — no fundo você não acreditava que o chefe ia mesmo fazer isso. A vergonha também era descabida — você sabia que tinha trabalhado tanto quanto qualquer pessoa nas mesmas circunstâncias.

No final deste exercício você terá feito algumas constatações — por exemplo, sua tendência a exagerar as conseqüências negativas de uma situação (a demissão do emprego) e sua facilidade em sentir vergonha, mesmo sem motivo. Pode-se presumir que essas constatações ajudariam a abrandar o impacto das suas emoções e lhe trariam algum alívio.

Identifique suas Intenções

As intenções podem referir-se aos seus desejos imediatos — aquilo que você gostaria de conseguir hoje, ou numa determinada situação, ou no próximo fim de semana —, e também aos seus desejos a longo prazo — aquilo que você gostaria de fazer até o final do ano, ou ao longo da sua vida. Para os propósitos deste livro vamos nos restringir às intenções a curto prazo, pois são com elas que as pessoas têm mais dificuldades.

A vantagem de ter plena consciência das suas intenções é poder utilizar essa informação para melhor planejar seu curso de ação. Suponhamos que você deseje saber o que realmente quer do seu cliente. Quer que ele:

a) Concorde com a venda o mais depressa possível?

b) Mantenha você como seu principal fornecedor?

c) Fique impressionado com você e o recomende a outras pessoas?

Se você concluir que:

a) O que realmente deseja é a venda rápida — então deve baixar seu preço.

b) O que realmente deseja é uma relação duradoura com o cliente — então deve baixar o preço e esforçar-se bastante para satisfazer todos os desejos dele.

c) Deseja impressioná-lo — então precisará oferecer a ele o melhor trabalho possível.

Assim como os sentimentos, suas intenções podem ser às vezes difíceis de entender. No caso dos sentimentos isso acontece porque muitas vezes os negamos ou ignoramos, pois é difícil encará-los. No caso das intenções, a razão é que muitas vezes confundimos uma intenção com outra — confundimos nosso propósito oculto com nossa intenção aparente. Seu propósito oculto pode ser que seus pais, que sempre pensaram que você não serviria para nada na vida, fiquem impressionados com seu sucesso; sua intenção aparente é que deseja a promoção à vice-presidência. Nesse caso, reconhecer que impressionar seus pais é sua verdadeira intenção não iria alterar seu plano de lutar pela vice-presidência, e sim deixar claro esse fato.

Outra dificuldade quando se lida com intenções é que elas às vezes parecem conflitantes. Por exemplo: sua secretária esqueceu-se de lhe passar um recado importante e você, furioso, pode até sentir vontade de gritar com ela; mas, por outro lado, quer que ela se sinta bem trabalhando com você, o que não iria acontecer se gritasse com ela. Se você souber que sua intenção verdadeira é ter um bom relacionamento de trabalho com sua secretária, terá mais chances de controlar a raiva e menos de gritar com ela quando ela cometer um erro. A seguir, alguns recursos para ajudar a esclarecer suas intenções:

Dicas para Identificar suas Intenções

1. Acredite em seu comportamento.
Geralmente você faz alguma coisa porque quer, ou pelo menos acha que isso lhe trará algum benefício, de modo que o seu comportamento lhe dá uma boa pista das suas intenções. Suponha que num momento de insensatez você tenha dito ao chefe que trabalharia no dia de Natal; qual era sua intenção? A família vai ficar furiosa, você já está estressado e precisa desse dia de descanso. Sua decisão é a pista da sua intenção: fazer o chefe considerá-lo esforçado e complacente para que ele pense em você na próxima oportunidade de promoção. Usando seu comportamento como pista você poderá entender melhor suas reais intenções.

2. Confie em seus sentimentos.
Se você se sente feliz, satisfeito e contente em determinada situação, então há uma boa chance de ter escolhido essa situação por um motivo válido. Vamos dizer, por exemplo, que no caso do cliente acima citado você tenha decidido que a alternativa "b" era o curso a seguir, pois você queria desenvolver uma relação duradoura; então baixou o preço, tem tomado cuidado para que ele receba as encomendas no prazo e desenvolveu um sistema de faturamento que lhe convém melhor. Você constata que está contente fazendo tudo isso; esse contentamento sugere que sua verdadeira intenção era realmente desenvolver uma relação duradoura. Inversamente, se você começa a se ressentir do tempo que está gastando para satisfazer as necessidades do seu cliente, então seria justo supor que talvez sua verdadeira intenção fosse a altenativa "a": a venda rápida.

3. Seja honesto consigo mesmo.
É aqui que entram os propósitos ocultos. No exemplo de querer impressionar seus pais, você poderia ter que fazer a si mesmo algumas perguntas bastante ferinas para concluir que essa era a sua intenção — ganhar mais dinheiro não seria o caso, pois o aumento no salário seria insignificante; tampouco derrotar o outro candidato à promoção, pois o chefe já havia repreendido essa pessoa por ela ter prejudicado seu último projeto. Seu irmão sempre foi considerado a criança perfeita; então você queria se vingar dele? Não, pois ele não tinha culpa disso. Sua verdadeira intenção era mostrar aos seus pais que você também é uma pessoa capaz e bem-sucedida, e a promoção à vice-presidência manifestaria isso.

Preste Atenção em seus Atos

Nas seções anteriores deste capítulo enfocamos quatro áreas da sua autoconsciência: suas interpretações, seus sentidos, seus sentimentos e suas intenções. Discutimos o fato de que elas freqüentemente são difíceis de discernir porque envolvem processos internos cognitivos, sensoriais e emocionais. Agora chegamos à quinta área: seus atos. Como os atos são físicos, eles podem ser observados pelas outras pessoas, e nós podemos observá-los se assim decidirmos — sendo que a palavra-chave aqui é "decidirmos".

Em geral temos consciência dos nossos atos mais genéricos — estou me encaminhando para a reunião, estou sentado numa cadeira, estou falando na reunião; com freqüência, porém, não nos damos conta das nuances desses atos — estou caminhando devagar para a reunião, estou escarrapachado na cadeira, estou interrompendo os oradores cada vez que abro a boca; no entanto, são essas nuanças que com freqüência são percebidas pelos outros e que podem ser usadas como pistas das nossas atitudes e do nosso comportamento.

Eis como outras pessoas podem interpretar esses atos: você está caminhando devagar para a reunião porque no fundo não está com vontade de ir; está escarrapachado na cadeira porque não está interessado na reunião e não quer tomar parte nela; interrompe várias vezes porque é grosseiro e não se dá ao trabalho de ouvir o que as outras pessoas têm a dizer.

Eis o que está acontecendo realmente: você está caminhando devagar porque está colocando as idéias em ordem; está escarrapachado na cadeira porque está cansado e com dor nas costas; interrompe os outros porque tem muitas idéias e está ansioso para que ouçam seus comentários.

É fácil entender que ao tomar consciência de todos esses atos inconscientes — o modo de falar, a linguagem corporal, o comportamento não-verbal — você poderá fazer com que os outros o percebam com mais precisão. Eis alguns recursos para aprender a fazer isso:

Dicas para Ampliar a Consciência de Seus Atos

1. Observe suas atitudes.

Escolha uma atitude que você pode ter durante uma reunião — escutar, falar, sentar-se; enfoque essa atitude em várias reuniões diferentes para que possa descobrir quaisquer padrões que porventura existam. Suponhamos que você escolha *escutar*. Você olha o orador nos olhos ou desvia o olhar? Concorda com a cabeça a algumas coisas que ele diz, a tudo, a nada? Mexe com as mãos, faz rabiscos, fica imóvel? Vamos dizer que você escolheu *falar*. Você interrompe ou espera a outra pessoa terminar de falar? Faz pausas longas, com muitos "hã..."? Enquanto fala, olha para baixo, para uma só pessoa ou para muita gente? Uma vez identificados alguns padrões, pesquise então as possíveis implicações. Por exemplo, se você faz constantes gestos de assentimento enquanto alguém está falando, a oradora pode supor que você concorda com tudo que ela diz e quer ouvir mais, e isso pode não ser verdadeiro. Quando você está falando, se faz pausas longas, pontuadas por "hã...", as pessoas podem pensar que o seu conhecimento do assunto é fraco, que você é indeciso e o seu raciocínio é lento. Tomando consciência dessas atitudes você será capaz de modificá-las (tentar falar sem pausas, só assentir quando quiser que a oradora saiba que você concorda) para que elas funcionem melhor em seu benefício.

2. Observe o impacto dos seus atos.

Escolha uma ação — sorrir para as pessoas que você encontra no corredor, retribuir telefonemas, usar a máquina de tirar cópias; preste atenção nas reações que provoca. As pessoas retribuem o sorriso? E depois puxam conversa? Mais tarde, na cantina, cumprimentam você? Vamos dizer que você em geral demora vários dias para retribuir um telefonema; quando finalmente o faz, constata que as pessoas estão ofendidas? Ou deixam você esperando vários dias, antes de lhe telefonar de volta? No exemplo da máquina de tirar cópias, suponhamos que você sempre tem pilhas e mais pilhas de papel para copiar e nunca interrompe sua tarefa para permitir que alguém possa usar a máquina para copiar umas poucas páginas — você percebe que as pessoas na fila estão resmungando e reclamando? As pessoas se mostram pouco dispostas a lhe fazer um favor? Compreendendo como suas atitudes afetam as pessoas, poderá modificar seus atos para que esse efeito seja aquele que você quiser.

3. Reconheça que as pessoas podem reagir de maneiras diferentes às suas atitudes.

Algumas vezes as pessoas são bem diretas: "Sabe, é um transtorno quando eu tenho poucas páginas para copiar e você não me deixa usar a máquina." Outras vezes os comentários podem ser tão sutis que você corre o risco de deixar que passem despercebidos. Suponhamos que você fale com muitas pausas e use muitos "hã..."; os ouvintes se cansam de esperar pelas frases seguintes e começam a ficar inquietos e conversar uns com os outros, e seu chefe vai acabar deixando de convidá-lo para falar nas reuniões.

Como Reunir Todos os Fatores da Autoconsciência

Neste capítulo exploramos as diversas maneiras pelas quais você pode se tornar inteiramente consciente da profusão de informações disponíveis a respeito de quem você é; estudamos o papel que suas interpretações, seus sentidos e seus sentimentos, suas intenções e suas atitudes desempenham na obtenção dessas informações. Eis um exercício para ajudá-lo a reunir o que aprendeu.

Exercício: Como Utilizar os Cinco Componentes da Autoconsciência

Ao longo deste capítulo tivemos exercícios para desenvolver cada um dos componentes do seu sistema de autoconsciência; o presente exercício utiliza todos eles reunidos.

1. No final do dia, recoste-se por alguns minutos e relembre alguma atividade ou tarefa que você desempenhou. Pode ser uma coisa simples, como ter ido à sala de Helen para conversar com ela.
2. Observe como cada um dos cinco componentes da autoconsciência entrou em ação. Encaminhei-me para a sala de Helen para lhe fazer uma pergunta (intenção). Avistei-a digitando rápida e furiosamente no computador (sentidos) e imaginei que ela devia estar muito empenhada em terminar o projeto (avaliação). Fiquei feliz (sentimento) ao vê-la esforçar-se no trabalho. Não quis perturbar sua concentração (intenção), de modo que fui embora (ação).
3. Examine se alguns dos componentes estão funcionando com propósitos opostos. No exemplo com Helen, a intenção inicial — falar com ela — foi sobrepujada pelo reconhecimento de que ela estava ocupada; assim, o curso da ação foi alterado de maneira bem lógica.
   Mas vamos tomar outro exemplo: você resolve procurar um cliente em potencial (intenção); enquanto disca o número dele, você sente o estômago contraído (sentidos). Constata que está nervoso demais para dar o telefonema (avaliação); então desliga o telefone (ação); fica com raiva de si mesmo por não ter conseguido dar o telefonema (sentimento). Aqui seu nervosismo definitivamente estava prejudicando sua capacidade de dar o telefonema.
4. Procure meios de evitar que os componentes funcionem com propósitos opostos. No exemplo acima, depois de desligar o telefone você poderia ter tentado um pequeno diálogo interno afirmativo: "Sou um bom vendedor. Temos um bom produto e posso dizer ao cliente a razão disso. Tenho tido muito sucesso com outros telefonemas. Se essa pessoa não quiser o produto, há muitos outros clientes em potencial que poderei procurar." Aí você poderia tentar outra vez telefonar.

Através deste exercício você poderá constatar que ao entrar em sintonia com todos os componentes do seu sistema de autoconsciência você terá um quadro completo de determinada situação, estando na melhor posição para escolher o curso de ação mais eficaz.

Outra maneira de praticar a sintonia com os cinco componentes simultaneamente é fazer-se várias vezes por dia as seguintes perguntas de autoconsciência:

- Que é que estou sentindo neste instante?
- Que é que eu quero?
- Como estou agindo?
- Que avaliações estou fazendo?
- Que é que meus sentidos me dizem?

Como você aprendeu neste capítulo, expandir a autoconsciência requer prática e coragem; nesse processo você aprende a distanciar-se e observar-se em ação, e avaliar o curso que está tomando. Nos próximos capítulos veremos as diversas maneiras pelas quais você pode utilizar em seu benefício as informações que sua autoconsciência pode lhe dar — a começar, no próximo capítulo, pelo modo como elas vão ajudá-lo a controlar suas emoções.

2

Como Controlar suas Emoções

Todos nós já ouvimos alguém — talvez até nós mesmos — ser aconselhado: "Controle suas emoções, esfrie a cabeça." Isto em geral significa: "Sufoque suas emoções." Porém, como aprendemos no capítulo anterior, as emoções nos fornecem muitas pistas da razão dos nossos atos, e sufocá-las iria nos privar dessa informação. Reprimi-las tampouco vai afastá-las, e pode permitir que elas cresçam despercebidas, como vimos no caso da raiva.

Controlar as emoções significa algo bastante diferente de sufocá-las; significa compreendê-las e usar essa compreensão para modificar as situações em seu benefício. Digamos que você esteja numa reunião e seu chefe menospreze com veemência uma sugestão sua, e ainda por cima declare que se você tivesse se limitado ao que é da sua alçada não teria surgido com idéias tão disparatadas. Sua resposta espontânea e incontida poderia ser: "Seu idiota estúpido e insensível, se você se limitasse ao que é da sua alçada veria que a idéia é ótima!" Embora você possa estar inteiramente correto, tal explosão da sua parte certamente resultaria numa repreensão severa, talvez até em demissão.

Eis a maneira emocionalmente inteligente de lidar com essa situação.

Primeiro você toma consciência de que está sentindo raiva; depois atenta para os seus pensamentos. Os primeiros talvez não sejam tão nobres: "Ele é um idiota. Tenho vontade de matá-lo." Mas em seguida você dsenvolve um diálogo interno construtivo: "Ele está sendo irracional. Não vou descer ao nível dele. Não vou deixar transparecer minha raiva. Sei que minha idéia é boa." Então você poderia atentar para todas as alterações fisiológicas — respiração acelerada, coração batendo forte — que você está sentindo, e praticar técnicas de relaxamento. Você olharia para as suas atitudes de raiva — mandíbula tensa, punhos cerrados — e as interromperia. Então poderia dar a si mesmo alguns minutos de trégua saindo da sala para beber um copo d'água. Finalmente, depois da reunião você buscaria uma solução para o fato de seu chefe menosprezá-lo em público.

Neste capítulo estudaremos diversas maneiras de aprender a controlar suas emoções; veremos como o controle dos seus pensamentos, das suas reações físicas e das suas atitudes age com esse fim, e o papel desempenhado pela prática da resolução de problemas. Uma vez que a consciência das suas emoções é o primeiro passo — como vimos no exemplo acima —, sugiro que volte à seção intitulada "Entre em Contato com seus Sentimentos", no capítulo anterior, pois não tornaremos a estudar essa questão.

Os Componentes do seu Sistema Emocional Precisam Trabalhar Juntos

Em minhas palestras costumo comparar as emoções a um computador; assim como o seu PC se constitui de diversos componentes (o disco rígido, o monitor, a impressora) interligados, seu sistema emocional é feito de diferentes componentes que interagem e precisam trabalhar juntos com eficiência para otimizar seu desempenho. Se os componentes deixam de trabalhar como deviam, o sistema pode cair.

No caso das suas emoções, os componentes — como vimos acima e exploraremos em detalhes neste capítulo — são:

- Seus pensamentos ou suas avaliações cognitivas
- Suas alterações fisiológicas ou seus atos de excitação
- Suas atitudes ou tendências de ação

Quanto ao componente que de fato aciona seu sistema emocional, algumas pessoas afirmam que os pensamentos precedem as alterações físicas, ao passo que outros são de opinião contrária — e um grupo numeroso acredita que o comportamento vem antes dos pensamentos ou das alterações fisiológicas. Não vejo vantagem alguma nesse debate do tipo "o-ovo-ou-a-galinha"; o importante é compreender que as emoções são produzidas por uma interação desses três componentes em resposta a um acontecimento externo e que controlando-os seremos capazes de controlar eficazmente nossas emoções.

Há ainda outro componente do seu sistema emocional: seu contexto emocional, ou sua constituição emocional. Isso engloba o modo como você foi criado, suas crenças, as experiências que teve — em suma, tudo que o faz ser quem você é hoje. Pode ser que a briga com sua mulher antes de vir para o trabalho o deixe deprimido o dia inteiro; ou as instruções do tempo da infância para ser bonzinho e não desafiar os outros o levem a ser passivo e reprimir a raiva e emoções semelhantes; ou os maus-tratos físicos que sofreu nas mãos de seu pai levem você a sentir uma raiva perpétua dos chefes masculinos: seu contexto emocional está por trás de cada um dos três componentes do seu sistema emocional e pode influenciar, em graus diferentes, suas reações emocionais.

É evidente que a idéia de explorar o contexto emocional está muito além da esfera deste livro. Ele pode provocar uma vibração emocional subjacente que desafie seu sistema de controle das emoções. Compreender seu contexto emocional — assunto de inúmeros livros e sessões de terapia — é uma ótima coisa, mas a solução nesse caso é colocar em ação, com força total, seus instrumentos de controle das emoções. Você estará tratando das manifestações (as explosões iradas dirigidas ao chefe), e não do contexto (o relacionamento de maus-tratos com seu pai).

Na próxima seção vamos ver como você pode usar os três componentes do seu sistema emocional para controlar eficazmente suas emoções.

Como Fazer seus Pensamentos, Atitudes e Alterações Fisiológicas Agirem em seu Benefício

É importante lembrar que são seus próprios pensamentos, suas alterações físicas e suas atitudes que dirigem suas reações emocionais, não os atos de outra pessoa ou um acontecimento externo: no exemplo acima, foram seus pensamentos sobre a explosão do chefe, seu coração batendo forte e seus punhos cerrados que fizeram com que você sentisse raiva. Compreendendo isto, você reconhecerá que o poder de controlar sua raiva — aliás, todas as suas emoções — pertence a você, não ao seu chefe grosseirão ou a qualquer outra pessoa, e isso requer que você assuma o controle dos três componentes do seu sistema emocional.

Assuma o Controle dos seus Pensamentos

A bronca do seu chefe gerou vários pensamentos. "Tenho vontade de matá-lo" é um deles. "Sei que a minha idéia é boa" é outro. A maneira de "escutarmos" nossos pensamentos é atentar para nossos diálogos internos. No primeiro capítulo, na seção intitulada "Examine Como Você Faz Avaliações", discutimos o diálogo interno; essas conversas interiores, que podem preceder, acompanhar ou seguir as emoções, desempenham um papel importante na definição e formação das nossas experiências emocionais. Por exemplo: é fácil ver como a afirmação "Vou matá-lo" só poderá perpetuar sua raiva, ao passo que a afirmação "Amanhã vou conversar com meu chefe sobre isto" pode ajudar a abrandá-la.

Com freqüência repetimos sempre o mesmo diálogo interno, à medida que a situação se repete, levando-nos assim a desenvolver diálogos internos destrutivos no momento em que a situação ocorre. Suponhamos que seu colega constantemente tire pastas do arquivo do seu escritório sem tornar a guardá-las, mesmo que você tenha lhe pedido para fazer isso em diversas ocasiões; o seu diálogo interno pode ser mais ou menos assim: "Ele é tão egoísta, nunca me escuta. É muito insolente. Não agüento mais isso." Cada vez que você procura uma pasta que não foi devolvida, esse diálogo contraproducente é acionado. Seu colega percebe, e sente que você é uma pessoa geralmente zangada, e que não gosta dele.

Os pensamentos que explodem espontaneamente ("Dá vontade de matá-lo", "Ele é tão egoísta") são os chamados "pensamentos automáticos". Eles são diferentes dos diálogos internos estudados na seção da auto-avaliação, que costumam exigir alguma deliberação ("Tenho todos os fatos à mão, os argumentos estão em ordem, farei uma bela apresentação"). Este último é chamado diálogo interno, ou conversa interna. Controlar ambos os tipos de pensamento é um passo importante para você controlar suas emoções.

Atente para seus Pensamentos Automáticos.

Os pensamentos automáticos geralmente possuem em comum algumas das seguintes características:

- Tendem a ser irracionais.

  Por serem espontâneos, eles não são censurados, de modo que você pode dizer alguma coisa descabida, como "Tenho vontade de matá-

lo", mesmo que jamais em sua vida tenha pensado seriamente em matar alguém. A intensidade do pensamento é um reflexo da intensidade da sua raiva. Por causa do modo súbito como irrompem os pensamentos automáticos, você não tem tempo de avaliar a lógica deles. Assim, no caso do seu colega de trabalho, por exemplo, você tende a fazer generalizações que não são necessariamente válidas. "Ele nunca me escuta" — isso simplesmente não é verdade; seu problema com ele restringe-se às pastas.

- Geralmente acreditamos neles.

  Os pensamentos automáticos acontecem tão depressa que em geral não os questionamos. "Ele é tão insolente" — isso lhe vem à cabeça tantas vezes, em relação ao seu colega, que você acaba aceitando como verdade que ele seja insolente.

- Freqüentemente estão em código.

  Os pensamentos automáticos são com freqüência expressos como uma espécie de estenografia verbal: "Otário", "Mentiroso", "Estou perdido".

- Eles têm a tendência de acionar outros pensamentos automáticos.

  Como você pode ver no exemplo do seu colega com as pastas, um pensamento atua como catalisador do outro: "Ele é tão egoísta. Nunca me escuta. É muito insolente. Espero que seja demitido." Isso não apenas perpetua e exacerba seu sentimento de raiva, mas torna mais difícil para você interromper esses pensamentos. É mais ou menos como o "efeito dominó".

- Os pensamentos automáticos podem muitas vezes levar a um raciocínio distorcido.

  Vejamos o caso do chefe que o chama para falar da decepção dele por causa da relação insatisfatória que seu cliente afirma estar tendo com você. Eis alguns exemplos de pensamentos automáticos que podem passar pela sua cabeça:

  "Estou com problemas."

  "Ele acha que estraguei tudo."

  "Ele vai me demitir."

  "Não vou conseguir arranjar outro emprego."

"Vou perder tudo."

"Minha família vai me abandonar."

A emoção que você está sentindo é medo. Mas vamos acompanhar mais um pouco a conversa: seu chefe está visivelmente irritado; você se vê como alvo dessa irritação e fica na defensiva; no decorrer da conversa, entretanto, você constata que seu predecessor também tinha problemas com esse cliente e é ele, não você, o alvo da impaciência do seu chefe. Você foi para a conversa com informações insuficientes a respeito da situação, e seus pensamentos automáticos produziram avaliações incorretas.

A tendência das situações perturbadoras, tais como ser repreendido por seu chefe ou estar zangado com um colega, é que elas venham a gerar estilos e padrões de raciocínio distorcidos que modificam sua percepção da realidade. Aprendendo a evitar o raciocínio distorcido você terá melhores condições de conseguir maior domínio sobre seus pensamentos automáticos e controlar suas emoções.

Dicas para Evitar o Raciocínio Distorcido

1. Não faça generalizações exageradas.

Afirmações tais como "Sou sempre tão lento para assimilar as coisas" ou "Ele nunca me escuta" são baseadas em circunstâncias específicas; ao generalizar, você dá a impressão equivocada de que essas afirmações sempre se aplicam a todos os casos. Sim, você demorou a entender a idéia que estava sendo apresentada, mas em geral entende as coisas com bastante rapidez; nesse caso a generalização só poderá levar a sentimentos de baixa auto-estima. Sim, seu colega não o escuta em relação às pastas, mas escuta em relação a outras coisas; a generalização exagerada poderá fazer você se sentir desnecessariamente indignado e moralmente superior — atributos que não vão fazer de você uma pessoa querida pelos outros. É mais correto dizer "às vezes" em lugar de "sempre" ou "nunca."

2. Fique longe da rotulagem destrutiva.

"Ela é idiota", "Ele é tão egoísta" — aqui, novamente, suas interpretações baseiam-se em situações específicas: sim, seu chefe foi injusto e insolente com você, mas ele não é sempre assim; o mesmo em relação a seu colega. Usando essa rotulagem destrutiva você sugere a si mesmo que a situação é irremediavelmente ruim e você nada pode fazer para consertá-la.

3. Não tente ler pensamentos.

Com freqüência não sabemos quais são os motivos ou as intenções da outra pessoa; é fácil perceber quanta ansiedade desnecessária foi causada pelo pensamento de que seu chefe ia demiti-lo. Imaginar que seu colega não o respeita é também um exemplo de leitura de pensamentos. Se você tem dúvidas a respeito de uma situação — será que o chefe vai despedi-lo, será que seu colega não o respeita —, evite tirar quaisquer conclusões até ter mais informações. Às vezes a pergunta direta é uma boa maneira de obter essas informações. "Você parece insatisfeito com o meu desempenho; é isso mesmo?"

4. Não estipule regras a respeito de como os outros deveriam agir.

É o que Platão chamava de "motivo dever": "Meu chefe devia ter me pedido desculpas pelo modo como me tratou na reunião." Criando regras para o comportamento das pessoas você se expõe a muita decepção e raiva, porque as pessoas muitas vezes não se comportam como desejamos. Então ficamos convencidos de que houve injustiça. Não apenas isso, mas esse raciocínio distorcido interfere com nossa capacidade de compreender a outra pessoa (compreender os outros é um ingrediente essencial para desenvolver um bom relacionamento com eles, como veremos na Parte Dois deste livro), porque vemos a outra pessoa a partir da nossa própria perspectiva. Ao reconhecer que as pessoas são diferentes e que têm seu próprio conjunto de regras, e ao ser flexível e aceitar o modo como as outras pessoas fazem as coisas, você automaticamente ficará longe de palavras como "dever" e "obrigação."

5. Não aumente a importância de um acontecimento.

Vamos dizer que você não esteja conseguindo encontrar uma carta que o advogado da outra parte mandou para o seu chefe; você procurou por toda parte, tem certeza de que seu chefe a entregou a você, sabe que devia ter feito uma cópia no mesmo instante, mas não fez; poderia dizer a si mesmo: "É uma catástrofe. Vou perder o emprego. Vamos perder a causa. Não vou agüentar." É provável que nada disso seja verdadeiro — a não ser, é claro, que você repetidamente extravie a correspondência que seu chefe lhe entrega. A situação é ruim, mas está longe de ser um desastre: você pode telefonar para o advogado e pedir-lhe para tornar a mandar a carta, embora isso possa deixá-lo embaraçado. Ao transformar em catástrofe as conseqüências de um acontecimento negativo, você multiplica a intensidade dele — em vez de sentir-se levemente preocupado você fica seriamente aflito, o que vai apenas distorcer ainda mais seu raciocínio. Evite usar palavras como "catástrofe" e "desastre", mas se você se ouvir pronunciando-as fique certo de que seus pensamentos estão aumentando a importância do acontecimento. Não diga "Não agüento", porque agüenta, sim.

Na próxima seção vamos estudar novamente algumas dessas situações, para entendermos como o diálogo interno construtivo ajuda a anular os efeitos negativos dos pensamentos automáticos.

Desenvolva Diálogos Internos Construtivos

Como já vimos, a diferença entre os pensamentos automáticos e os diálogos internos é que os primeiros são espontâneos e com freqüência contraproducentes, ao passo que os últimos são deliberados e produtivos. Evitando ao máximo os pensamentos automáticos, interrompendo-os assim que eles começam e aprendendo a ter diálogos internos eficazes, você poderá ajudar a impedir os efeitos das situações aflitivas. Não apenas isso, mas poderá também aprender a reprogramar alguns desses pensamentos automáticos destrutivos para evitar que eles ocorram.

No caso do seu colega que não devolve as pastas, eis algumas maneiras de controlar sua raiva nessa situação. Vamos dizer que os pensamentos automáticos ("Ele nunca me escuta", etc.) já lhe vieram à mente; você em primeiro lugar reconheceria a emoção: "Estou realmente com raiva de Gerald." Depois reformularia a generalização "Ele nunca me escuta" para que ela se aplicasse apenas para aquela determinada situação: "Gerald não devolve as pastas, embora eu lhe peça para fazer isso." Você não pode dizer que ele não o escuta (isso seria ler pensamentos) porque talvez ele escute, e a razão de não devolver as pastas pode ser o fato de ele estar tão ocupado com outras coisas que acaba esquecendo, ou então talvez ainda vá precisar delas, mas deixou de lhe dizer isso.

Em seguida você deveria transformar a rotulagem destrutiva "Ele é tão egoísta" num pensamento que novamente contempla apenas aquela determinada situação: "Gerald parece egoísta quando não devolve as pastas para o meu arquivo. Mas ele muitas vezes me faz gentilezas em outras situações." Este raciocínio vai evitar que você pense que não há solução possível, pois o total egoísmo de Gerald impediria isso — o que deixaria você ainda mais zangado. Ao reconhecer os atributos positivos de Gerald, fica mais fácil você se dispor a procurar uma solução.

Quanto ao pensamento automático "Ele não me respeita", ele sugere leitura de pensamentos; se você está realmente preocupado com a falta de respeito de Gerald, poderia dizer a si mesmo: "Essa atitude me faz pensar que Gerald não me respeita, mas não tenho qualquer outra indicação de que isso corresponda à realidade; acho que vou perguntar a ele." Assim você pode afastar sua suposição de falta de respeito, seja porque você não vê evidências disso ou porque Gerald lhe afirma que não se trata disso.

Já compreendemos que dizer "Não consigo mais suportar" é contraproducente. Uma outra opção de diálogo interno, que melhor se ajustaria a essa situação, seria mais ou menos assim: "Isto já aconteceu muitas vezes com Gerald e está me deixando cada vez mais zangado. Acho que vou conversar com ele no intervalo para o café e lhe dizer que é muito desagradável quando preciso de uma pasta do meu arquivo e tenho que sair procurando por ela. Vou lhe perguntar se existe um meio de resolver isso. Estou disposto até a ir buscar as pastas, se ele me avisar assim que tiver acabado de usá-las." Este é um exemplo de prática da resolução de problemas, e mais tarde falaremos sobre isso; o importante é que em vez de encurralar-se num canto você criou um plano de ação para solucionar o problema.

Seu diálogo interno pode ter também a forma de perguntas: "Por que fico tão furioso com o Gerald e não fico com o André, que muitas vezes faz a mesma coisa? A falta das pastas realmente é tão problemática assim? Será que não estou com raiva do Gerald porque a sala dele é melhor do que a minha?" Fazendo perguntas você começa a explorar o significado das suas emoções, e poderá usar esse conhecimento para ajudar a resolver a situação.

Outro tipo de diálogo interno útil tem a forma de afirmações instrutivas que poderão orientá-lo ao passar por situações emocionalmente desgastantes. As afirmações tranqüilizam e sugerem o curso a ser seguido. No exercício abaixo existem alguns exemplos disso.

Através das minhas palestras aprendi que as pessoas acham muito útil dispor de afirmações instrutivas já preparadas, prontas para usar, para as situações emocionalmente desgastantes que estamos sujeitos a encontrar. Eis um exercício para isto:

Exercício para Preparar Amostras de Afirmações Instrutivas

1. Escolha três situações que você tem probabilidade de encontrar nos próximos três meses e que provavelmente são emocionalmente instáveis e lhe provocam considerável tensão. Poderiam ser: uma entrevista de emprego, a apresentação de um relatório/projeto/idéia, reagir a um cliente/freguês/empregado/chefe irritado.
2. Tome uma situação de cada vez e imagine as emoções que ela provavelmente causaria. Alguns exemplos possíveis são: medo, ansiedade, constrangimento, raiva, vergonha.
3. Escreva as afirmações instrutivas que você poderia fazer.

Isto vai ajudá-lo a controlar eficazmente suas emoções naquela situação. Eis alguns exemplos:

Para uma avaliação de desempenho:

"Fiz um bom trabalho."

"Não preciso ficar na defensiva."

"Não fiquei inteiramente satisfeito com o resultado de (seja o que for), mas o chefe sabe que eu não tinha como controlar a causa do problema."

"De qualquer maneira, no geral esforcei-me no trabalho e obtive bons resultados."

"Vou tentar aprender com meu chefe como posso melhorar."

"Se eu não entender a que meu chefe está se referindo, vou lhe pedir exemplos específicos."

"Vou prestar atenção nas coisas positivas que ele diz, não apenas nas negativas."

Para uma apresentação:

"Estou perfeitamente preparado."

"Tenho todas as anotações à mão."

"Sei que minha idéia/meu projeto/meu relatório tem valor."

"Sei que a equipe/assistência vai reconhecer que fiz um bom trabalho."

"Vou falar devagar e claramente, e vou olhar para as pessoas."

"Vou me sair bem e vou ter prazer em fazer a apresentação."

Para um confronto hostil:

"Vou escutar cuidadosamente o que fulano vai dizer."

"Não vou interromper."

"Vou falar devagar e com calma."

"Vou reconhecer as preocupações de fulano."

"Vou fazer perguntas quando alguma coisa não ficar clara."

"Vou perguntar a fulano como é que podemos resolver a situação juntos."

Repita o exercício para as outras duas situações.

É fácil perceber que, preparado com essas afirmações, você terá muito mais chances de lidar com a situação de um modo emocionalmente inteligente, e irá progredir no caminho para cortar esses pensamentos automáticos negativos antes mesmo que eles surjam.

A Inteligência Emocional em Ação

Como relações-públicas da minha empresa tenho que dar cerca de 30 entrevistas coletivas por ano. Elas costumavam me provocar uma ansiedade tremenda, que começava dias antes. Então passei a explorar meus pensamentos e descobri que vivia dizendo a mim mesmo que não faria um belo papel, não saberia do que iria falar, seria ridicularizado. Não era de espantar que eu ficasse tão ansioso!

Então, quando começava a ficar ansioso, eu respirava profundamente algumas vezes e me perguntava: "Que é que estou me dizendo? Por que estou tão tenso?" Descobri que a maioria das coisas era bobagem — eu jamais seria ridicularizado. As coisas que realmente faziam sentido — como, por exemplo, eu não conhecer suficientemente o assunto — me levaram a me preparar melhor.

Agora, uma semana antes de cada entrevista coletiva eu repito para mim mesmo: "Vai dar tudo certo. Estou bem preparado. É uma oportunidade para educar a imprensa. Não vou fazer papel de bobo." Posso afirmar honestamente que agora aguardo com prazer as entrevistas coletivas. (Dennis M., assessor de imprensa de uma firma de altatecnologia)

Controle sua Excitação

O próximo componente do sistema emocional que vamos estudar é a excitação, ou as alterações fisiológicas. Você há de se lembrar que no capítulo da autoconsciência discutimos como os sentimentos tendem a associar-se a sensações físicas específicas — por exemplo: nervosismo e estômago contraído, raiva e rubor no rosto. Estudamos como você pode entrar em contato com seus sentimentos observando suas manifestações sensoriais e de comportamento. Agora vamos estudar as alterações fisiológicas por trás dessas sensações — aquilo que chamamos também de excitação. Vamos explorar como você pode atentar para as alterações na excitação e usar essas mudanças como um sinal de que está na hora de acalmar-se, até atingir um nível de excitação que lhe permita pensar e agir com eficácia.

Como Identificar Alterações na Excitação

A aceleração da freqüência cardíaca ou do ritmo respiratório, o aumento da pressão arterial ou da transpiração — tudo isso são sinais de alterações fisiológicas, que podem estar relacionadas a várias emoções diferentes; o primeiro passo não é identificar cada uma, mas reconhecer que realmente ocorreu uma alteração no seu nível de excitação.

Digamos que você esteja sentado à sua mesa estudando os números mais recentes das suas vendas, e eles parecem muito bons; você está satisfeito e orgulhoso. Então recebe um telefonema do chefe: "Tenho más notícias." Você sente o coração disparar. Ele prossegue: "O St. Mary's Hospital escolheu comprar da Sansome e não de nós." Você sente sua respiração acelerar-se. Sente a testa molhada de suor. Sua excitação passou de um estado de repouso a um estado exacerbado. As emoções associadas a essas alterações provavelmente são, neste caso: ansiedade (quando seu chefe diz que tem más notícias) e medo (esse hospital era um grande cliente, e sem ele você não terá chance de atingir as metas de venda que acha apropriadas).

Ao perceber instantaneamente suas alterações fisiológicas, você se concede a oportunidade de usá-las como um sinal de que está na hora de modificá-las (na próxima seção vamos estudar algumas técnicas para isto). Modificando-as, você poderá evitar a ansiedade e o medo. Lembre-se: é muito mais fácil evitar a ansiedade ou o ressentimento do que vencer essas emoções depois que elas o dominarem.

Se não atentar para as alterações no seu nível de excitação, você corre o risco de agir impulsivamente — quando seu chefe dissesse que tem más notícias, você talvez soltasse algum comentário do qual mais tarde se arrependeria; quando ele lhe contasse a decisão do hospital, você poderia começar a berrar coisas do tipo "Como é que aqueles idiotas puderam fazer isso? Eu sempre soube que não eram de confiança", e além disso talvez dissesse a si mesmo: "Foi a gota d'água. Vou ser despedido. Não vou conseguir resolver isso." Tudo isso poderia ter conseqüências funestas: a primeira exclamação sugeriria a seu chefe que você não consegue lidar com as situações; chamar de idiotas o pessoal do hospital dará a ele uma pista do motivo de o hospital procurar outro fornecedor; seus comentários consigo mesmo servirão apenas para provocar e exacerbar a ansiedade, o medo e a raiva.

Eis uma explicação para a ocorrência dessas alterações: os seres humanos são programados com uma reação lutar-ou-fugir para poder lidar com situações de tensão. (Esse mecanismo era destinado originalmente a assegurar a sobrevivência: você está procurando alimento no bosque quando surge um tigre dente-de-sabre e você foge; encontra um membro de uma tribo com quem a sua tribo luta por território e você lhe dá combate.) Seu ritmo cardíaco acelera para que mais sangue flua para o cérebro, órgãos, músculos e outras partes do seu corpo, de modo que recebendo mais nutrientes eles possam reagir melhor, esteja você fugindo ou lutando. O ritmo da sua respiração aumenta para que mais oxigênio seja levado para todas as partes do corpo, porque suas células precisam de oxigênio para funcionar.

Como você pode ver, a reação lutar-fugir é muito útil para as situações de vida ou morte em que você precisa dessa infusão de sangue e oxigênio, mas não é esse o tipo de situação que enfrentamos no nosso ambiente de trabalho — embora algumas vezes possa parecer que é. Aumentos freqüentes no ritmo cardíaco ou respiratório podem até causar desgaste ao nosso corpo, provocando uma série de problemas fisiológicos adversos, desde a hipertensão até o ataque cardíaco. De modo que nossa saúde física é mais um motivo para querermos manter num nível confortável as alterações em nosso grau de excitação. Aqui está um exercício para você aprender a reconhecer as alterações no seu nível de excitação e poder controlá-las.

Exercício para Atentar para as Mudanças em seu Nível de Excitação

1. No início de cada dia, por um período de duas semanas, escolha duas situações que vai experimentar durante esse determinado dia (não necessariamente as mesmas todos os dias); uma delas provavelmente resultará num aumento perceptível do seu nível de excitação, a outra não terá qualquer efeito nesse sentido. Certifique-se de que durante essas situações você não está consumindo alguma coisa que pudesse afetar seu ritmo cardíaco, estimulantes como café, refrigerantes cafeinados, produtos açucarados ou cigarros. Além disso, escolha situações que provavelmente resultarão em diferentes reações emocionais, para que você possa se familiarizar com as alterações fisiológicas associadas a cada uma delas.
2. Enquanto a situação estiver se desenrolando, tente prestar atenção à sua respiração, à freqüência cardíaca, à transpiração. Isso será especialmente difícil em situações de tensão, pois sua atenção estará focalizada na própria situação, mas faça um esforço.
3. Imediatamente após cada situação anote sua freqüência cardíaca, seu ritmo respiratório e o nível de transpiração. Eis dois exemplos:

Situação	*Freq. Cardíaca*	*Ritmo Respiratório*	*Transpiração*
preenchendo faturas	lenta	lento e regular	nenhuma
falando em público	rápida	rápido e irregular	testa molhada

Como o nível de excitação pode variar perceptivelmente de um estado emocionalmente inerte (como o criado pelo ato de datilografar faturas) até um estado emocionalmente ativo (como o provocado pelo ato de falar em público), logo no final da primeira semana você estará apto a atentar de imediato para as mudanças em seu nível de excitação. Uma vez que tenha conseguido fazer isso, você estará pronto para aprender a diminuir sua excitação.

Use o Relaxamento para Diminuir sua Excitação

Aprendemos a atentar para as mudanças em nosso nível de excitação para que possamos percebê-las de imediato; o passo seguinte é diminuir a excitação assim que constatarmos sua ocorrência. A maneira mais eficaz de fazer isso é o relaxamento; ao relaxar você diminui atividades físicas como respirar e bombear sangue, e devolve seu corpo ao estado normal. Isto então vai diminuir sua reação emocional, dando-lhe tempo para determinar o melhor curso de ação a tomar.

Há muitas maneiras de praticar técnicas de relaxamento — meditação, ioga, auto-hipnose e *biofeedback* são algumas delas. As diferentes técnicas funcionam para diferentes pessoas. Vamos aprender aqui uma reação condicionada de relaxamento, pois para isso você não precisa fazer um curso ou ler outro livro.

A premissa da reação condicionada de relaxamento é de que primeiro você associe o relaxamento a imagens e pensamentos específicos; daí em diante, sempre que estiver numa situação aflitiva, você deverá evocar aquelas imagens e aqueles pensamentos para que eles o relaxem. Logo você começará a associar aquelas situações aflitivas às imagens e pensamentos tranqüilizadores, e finalmente os primeiros sinais de uma situação de tensão evocarão essas imagens e esses pensamentos, e você vai relaxar. O resultado é que o período de aflição emocional fica consideravelmente menor. Eis aqui os passos para aprender essa reação:

Exercício para Desenvolver uma Reação Condicionada de Relaxamento

1. Escolha um local apropriado. Você deve escolher um lugar calmo e sossegado, onde não seja perturbado ou distraído. Isso vai impedir que estímulos ou acontecimentos (barulho no corredor, o telefone tocando) prejudiquem sua concentração nas imagens e nos pensamentos relaxantes.

2. Encontre uma posição confortável. Se você sentir sua perna dormente ou as costas começarem a doer, perderá sua concentração; portanto, encontre uma posição que você consiga manter confortavelmente durante o exercício, seja recostado em travesseiros em sua cama, seja sentado num sofá. A meta é reduzir toda tensão muscular.
3. Adote uma atitude passiva. A passividade é provavelmente o componente mais importante no desenvolvimento de sua reação condicionada de relaxamento, pois quando você está passivo não está perturbado, apenas deixa as coisas acontecerem: está relaxado. Para atingir essa passividade você pode desenvolver um diálogo interno que segue assim: "Se alguma coisa me distrair, tudo bem, significa apenas que preciso aprender a ignorar as distrações. Se essa reação parece difícil de alcançar, tudo bem, significa apenas que preciso praticar mais. Aconteça o que acontecer enquanto eu estiver fazendo o exercício, tudo bem, vou deixar acontecer."
4. Escolha uma formulação mental tranqüilizante que funcione para você e repita-a para si mesmo inúmeras vezes. Pode ser uma imagem (um lago calmo), uma palavra (paz), um som (psiu), uma afirmação (estou decansando) — o que lhe pareça confortável. Então imagine ou pronuncie várias vezes a formulação escolhida; isto vai ajudá-lo a mudar a direção da sua mente, voltada para o exterior, para o seu interior, a fim de que você não se distraia por fatores externos. Todos os dias passe uns 20 minutos fazendo isso, concentrando-se intensamente na imagem ou som que escolheu. Vai chegar o dia em que alguém poderá estar aos gritos na rua lá embaixo e você nem sequer escutará, pois estará concentrado na imagem do lago calmo ou no som de "psiu". Constatei que com 20 minutos de prática por dia a maioria das pessoas consegue desenvolver a reação condicionada de relaxamento num prazo entre 10 e 14 dias.

Uma vez tendo se condicionado a relaxar quando quiser, você estará apto a usar sua reação de relaxamento para contornar qualquer mudança na excitação. Eis como fazer isso.

Exercício para Aprender a Usar sua Reação Condicionada de Relaxamento

1. Escolha uma situação aflitiva que você normalmente enfrenta no trabalho e lhe provoca uma determinada emoção. Pode ser dar um telefonema de recusa (ansiedade), enfrentar um colega para discutir um problema (raiva), falar sobre uma possível demissão em massa (depressão) — conforme sua situação de trabalho.
2. Imagine-se nessa situação. Use todos os seus sentidos para isso. Percorra mentalmente os passos que você provavelmente dará nessa

determinada situação (procurar o número do telefone, discar, mandar chamar a pessoa, apresentar-se) e tente evocar quaisquer sensações ou procedimentos que você possa experimentar (coração acelerado, respiração acelerada, voz baixa, padrão de fala irregular).

3. Introduza sua formulação mental na situação imaginada. Enquanto percorre mentalmente cada um dos seus passos e sua correspondente reação sensorial ou de comportamento, evoque a imagem, o som ou a afirmação de relaxamento por você escolhida. Por exemplo, ao imaginar mandando chamar a pessoa e sua voz falhando, diga a si mesmo: "Paz, paz, paz", ou imagine o lago calmo, ou faça o que você escolheu como formulação mental.
4. Repita o processo inteiro uma vez por dia, durante vários dias. Use sempre a mesma situação, a mesma emoção; depois de dominar estas, você passará para outras. Quando for capaz de passar automática e quase instantaneamente dos primeiros sinais de uma mudança na excitação para a sua formulação de relaxamento, você terá aprendido a associar a formulação mental com a situação aflitiva e estará pronto para passar a usar sua reação condicionada de relaxamento na situação real.
5. Introduza a formulação mental na situação real. Percorra todos os estágios necessários para dar o telefonema de recusa; ao primeiro sinal de alteração na excitação, evoque imediatamente sua imagem, palavra, afirmação ou som. A meta final é que essa imagem/palavra/som entre em ação antes de ocorrer qualquer mudança. Se você achar difícil demais, volte a praticar a situação imaginária até ser capaz de usar esta técnica com sucesso na situação real.

O que você estará fazendo é reprogramando sua excitação para um estado de calma, de modo a tornar mais fácil pensar e agir com eficácia. Agora vamos ver como assumir o controle do seu comportamento para atingir o mesmo fim.

Assuma o Controle dos seus Padrões de Comportamento

Os padrões de comportamento são os atos que você tende a repetir inúmeras vezes como reação a uma determinada situação. Por exemplo, pode ser que você erga a voz quando está zangado, bata na mesa com o lápis quando está ansioso, sorria quando está feliz. Já aprendemos que nossas alterações fisiológicas estão intimamente ligadas às nossas emoções; o mesmo acontece com o nosso comportamento. Portanto, para controlar nossas emoções, precisamos assumir o controle das nossas atitudes, e para assumir o controle das nossas atitudes precisamos primeiro reconhecê-las.

Aprenda a Reconhecer suas Atitudes

Certos comportamentos costumam ser associados a emoções específicas — por exemplo, procuramos as pessoas quando estamos entusiasmados, ficamos ociosos e desanimados quando estamos deprimidos, torcemos as mãos quando estamos nervosos. No caso das alterações fisiológicas, vimos que elas perpetuam a emoção quando você permite que fiquem descontroladas; se você não usar o relaxamento para diminuir a freqüência cardíaca e o ritmo respiratório, poderá perpetuar sua raiva. A mesma coisa acontece aqui: se você se permitir ficar torcendo as mãos, não conseguirá permitir-se diminuir sua ansiedade.

Exercício para Reconhecer suas Atitudes

1. Faça uma lista de emoções. Enumere num caderno de notas algumas emoções que você provavelmente sentiria em seu local de trabalho. Eis alguns exemplos:

   Raiva
   Alegria
   Ansiedade
   Contentamento
   Depressão
   Entusiasmo
   Medo
   Confiança
   Tristeza
   Frustração

2. Durante um período de 15 dias observe cada uma das emoções da sua lista e verifique que padrões de comportamento as acompanham. Vamos dizer, por exemplo, que você tem medo de ser transferido para outro local pelo engenheiro-chefe; então evita passar pela sala dele, no refeitório senta-se o mais distante possível, falta a uma reunião em que ele estará presente. Suponhamos que você tenha acabado de receber aprovação para um projeto e está se sentindo confiante; conta o fato aos colegas com certo tom de arrogância. Anote na lista todas as atitudes correspondentes.

3. Procure os padrões. Vamos voltar ao primeiro exemplo: você não apenas tem medo de ser transferido para outro local, como também tem medo de que seu colega tenha contado ao chefe que na semana passada você alegou uma consulta marcada no dentista e na verdade foi a uma partida de futebol. Você reage fazendo tudo que puder para evitar encontrar-se com o chefe e o colega. Examinando suas atitudes em reação ao medo, você provavelmente deduziria desses dois exem-

plos que quando está com medo evita as pessoas ligadas a esse medo. Adiante estudaremos como você pode utilizar esse conhecimento.

4. Peça a opinião de outras pessoas nesse caso. Se você se sentir à vontade para isso, pode perguntar a um colega que o aprecia e respeita, ou a seu assistente — provavelmente não ao chefe — como é que você reage quando está zangado, ansioso, deprimido. Seu colega pode lhe dizer, por exemplo, que durante as reuniões percebeu que quando você fica frustrado porque as coisas não estão se encaminhando bem você tende a ficar sarcástico, fazendo comentários como: "Bem, esta sua sugestão merece o Prêmio Nobel."

No final de 15 dias você já deverá ter uma boa imagem de como age quando está sentindo certas emoções. Agora vamos ver como é que você pode usar essa informação em seu benefício.

Evite os Comportamentos Contraproducentes

Como você provavelmente pode deduzir dos exemplos acima, o sarcasmo, a fuga e a arrogância são comportamentos contraproducentes. O sarcasmo hostiliza as pessoas contra quem ele é dirigido; a fuga fará seu chefe e seu colega pensarem que você está sendo rude; e a arrogância fará com que seus colegas não sintam vontade de conversar com você. Eis alguns meios para você poder evitar essas atitudes que depõem contra você.

Dicas para Tomar as Rédeas dos seus Padrões de Comportamento

1. Respire profundamente. Isso pode parecer um tanto infrutífero quando você tem uma emoção forte como a raiva, mas a respiração profunda desempenha várias funções. Em primeiro lugar impede que você faça qualquer outra coisa; concentrado em respirar profundamente você não poderá berrar ou ir gabar-se com os colegas. Em segundo lugar, é um sinal para si mesmo: preste atenção, controle-se, pare de fazer o que está fazendo. Em terceiro lugar, a respiração profunda irá acalmá-lo.

2. Desenvolva um diálogo interno construtivo. Na seção a respeito de controlar os pensamentos vimos como os diálogos internos podem ajudá-lo a ter clareza, rever e alterar seu curso de ação; aqui eles desempenham função semelhante. Vamos dizer que, no caso da possível transferência de local de trabalho, você tenha reconhecido que tinha medo de que isso acontecesse, e como conseqüência identificou o comportamento correspondente como o de fuga. Eis um diálogo interno construtivo que você poderia ter consigo mesmo nessa situação:

Voz 1 — Tenho medo de ser transferido para outro local e o que estou fazendo é me esconder do engenheiro-chefe.

Voz 2 — Estou ganhando alguma coisa com este comportamento?

Voz 1 — Bem, enquanto não falar com ele estarei adiando as más notícias. Por outro lado, as notícias podem ser boas — talvez eu não seja transferido. De qualquer maneira, estou apenas aumentando e prolongando meu medo.

Voz 2 — O engenheiro-chefe deve estar pensando que não gosto dele ou não quero ter qualquer relação com ele, ou que sou meio esquisito.

Voz 1 — Estou perdendo muito tempo com esse jogo de gato e rato.

Voz 2 — Qual seria a atitude mais proveitosa para mim, neste caso?

Você provavelmente poderia decidir conversar com o engenheiro-chefe, se pudesse reunir-se com ele por alguns minutos. Então lhe diria que ouviu boatos de que seria transferido para outro local e gostaria de saber se havia alguma verdade no rumor. Isso se enquadra na prática da resolução de problemas que será a próxima coisa que estudaremos.

Torne-se um Bom Solucionador de Problemas

Na base de um bom gerenciamento estão as técnicas eficazes para solucionar problemas — determinar a melhor maneira de fazer os funcionários trabalharem bem em conjunto, descobrir como fazer a equipe dedicar-se a um novo projeto. Isto se aplica seja no controle de uma equipe, seja no controle das suas emoções.

Em geral uma emoção negativa é causada por uma situação problemática: a carta do advogado extraviada, a possível transferência de local de trabalho, sua necessidade de desenvolver boas técnicas de resolução de problemas, sendo a meta determinar o curso de ação mais eficaz para a resolução do problema. Mas antes de explorarmos alguns meios pelos quais você pode se tornar um bom solucionador de problemas, você precisará compreender a natureza dos problemas.

Se para você a vida é uma série de situações que exigem algum tipo de reação, então nenhuma situação é inerentemente problemática; é a ineficácia da sua reação que torna a situação problemática. Vejamos o caso da carta do advogado que foi extraviada; você a procura em sua mesa, em sua pasta, perto da máquina copiadora, e não consegue encontrá-la. A carta extraviada não é o problema (porque se você a encontrasse não haveria problema), mas sim sua incapacidade de encontrá-la. Sua reação ineficaz à situação da carta extraviada é o que está causando o problema.

Isto não é um exercício de semântica; a vantagem de encarar assim os problemas é, em primeiro lugar, ver que eles constituem uma parte normal da vida. Afinal, é impossível escolhermos sempre o meio mais eficaz de lidar com uma situação, e então criaremos um problema. Em segundo lugar, se sua primeira reação a uma situação não estiver funcionando — você não consegue encontrar a carta —, então há sempre a opção de escolher outra reação.

Uma vez que você aceita que os problemas são uma parte normal da vida, então terá menos probabilidade de pensar que existe algo errado com você pelo fato de tê-los. Além disso, terá menos probabilidades de negar que eles existam. Temos a tendência de negar os problemas porque eles em geral nos perturbam, mas negá-los não faz com que desapareçam. Avaliar a melhor maneira de resolver a situação que causou o problema, eis como fazer o problema sumir, e é aí que entra a prática da resolução de problemas. A seguir veremos alguns modos de você aprender a desenvolver boas técnicas de resolução de problemas.

Identifique e Defina a Situação Problemática

Ao formular um problema de modo específico e concreto você o coloca em foco e obriga-se a ver o que é relevante e o que não é. Digamos que você coloque a situação problemática da seguinte maneira: "Meu trabalho está me deixando louco"; esta afirmação abstrata não lhe dá qualquer pista daquilo que especificamente o perturba, o motivo por que isso acontece, quem está envolvido — e assim fica difícil qualquer solução. A maneira emocionalmente inteligente de identificar a situação problemática seria definir os irritantes específicos. Você pode ter que se fazer muitas perguntas a respeito de quem, o que, por que, quando, como. Eis como poderiam ser algumas das respostas: "Tenho trabalho demais para fazer. Meu chefe está atolado de serviço, de modo que não pode me dar atenção. Meus colegas parecem não saber o que deveriam estar fazendo, por isso não fazem muita coisa. Estou sempre frustrado e cansado." Uma vez definida claramente a situação problemática, você poderá estudá-la de diversos modos.

Mude sua Percepção da Situação

Uma das dificuldades no caso das situações problemáticas é que tendemos a examiná-las com visão limitada: ficamos presos no nosso modo costumeiro de lidar com as coisas e não conseguimos encontrar uma solução. Reformulando nossos pensamentos sobre a situação somos capazes de descobrir respostas novas e proveitosas. Eis alguns pensamentos de reformulação:

- O problema real não é quem está envolvido; o problema real é como eu reajo.
- O problema real não é aquilo que me desagrada; o problema real é como eu me sinto.
- O problema real não é como acontece; o problema real é quando eu irei enfrentá-lo.
- O problema real não é por que ele acontece; o problema real é por que eu reajo da maneira como reajo.

Eis alguns modos de reformular os pensamentos a respeito desse emprego tão horroroso:

- O problema real não é o meu chefe nem os meus colegas, mas sim o fato de que nunca converso com eles sobre as dificuldades que estou experimentando.
- O problema real não é o fato de que meu chefe me passa cada vez mais serviço, mas o fato de que não encontrei um meio de conseguir ajuda nesse serviço.
- O problema real não é que meu trabalho seja horroroso, mas ele me deixa frustrado, cansado, irritado e deprimido.
- O problema real não é que meu trabalho esteja me deixando louco, mas o fato de que ainda não encontrei um meio eficaz de lidar com a situação.

Como você pode ver, reformular seus pensamentos a respeito de uma situação problemática vai lhe permitir olhar para a situação de maneira nova; então poderá ver que já não está irremediavelmente atolado numa vala, mas simplesmente enfrentando uma situação de desafio para a qual você está em vias de encontrar uma reação eficaz. E a maneira de fazer isso é estudar uma variedade de opções.

Produza Soluções Alternativas

Aqui a meta é descobrir cerca de meia dúzia de estratégias diferentes, pois um número generoso de opções lhe dará melhores chances de encontrar a solução mais eficaz. Um dos métodos mais úteis para descobrir várias soluções criativas é o *brainstorm* (literalmente, tempestade cerebral). O objetivo é que você exprima as idéias à medida que elas lhe ocorram. A palavra "tempestade" é, neste caso, a chave da questão: deixe fluir a torrente de idéias, sem censura ou correção. Eis algumas maneiras de ter uma sessão de *brainstorm* produtiva.

Dicas para uma Sessão de *Brainstorm* Eficaz

1. Não se apresse em julgar. Não comece a criticar as idéias ainda durante a sessão, pois isso inibirá o fluxo de idéias. Simplesmente transcreva os pensamentos tão rapidamente quanto eles ocorram, e adie o julgamento dos méritos de cada um deles para o estágio de tomada de decisão.
2. Incentive o pensamento livre. Quanto mais louca a idéia, melhor, pois será essa loucura que o deixará aberto para todo tipo de soluções imaginativas. Além disso, é mais fácil adaptar uma idéia desatinada do que tirar uma solução criativa de uma idéia medíocre.
3. Procure a quantidade. Quanto mais idéias, mais opções você terá. E quanto mais idéias propuser, mais idéias novas provavelmente lhe ocorrerão.
4. Deixe os detalhes para depois. Simplesmente ofereça as idéias em estado bruto — você poderá pensar nos detalhes específicos depois que tiver produzido a sua lista. Definir os detalhes irá atrapalhar o *brainstorm.*
5. Use as idéias como catalisadores para outras idéias. Combine idéias, desenvolva idéias, procure idéias opostas — faça qualquer coisa para manter as idéias fluindo.

Explore Diversas Opções

Usando o exemplo do emprego horroroso, eis algumas poucas idéias que poderiam estar em sua lista de *brainstorm*:

- Arranjar outro emprego.
- Faltar uma vez por semana alegando doença.

- Não trabalhar nos fins de semana, usando-os como uma ocasião para esfriar a cabeça.
- Ensinar técnicas de gerenciamento ao chefe.
- Tomar aulas de gerenciamento de tempo.
- Sugerir ao chefe fazer a contagem do tempo gasto com cada projeto.
- Liderar uma insurreição e tomar conta do departamento.
- Pedir ao Departamento de Pessoal para demitir todos os empregados que não produzem.
- Dividir o serviço em tarefas individuais e perguntar ao chefe se outros membros da equipe podem se encarregar de algumas delas.

É óbvio que algumas idéias da lista acima são totalmente impraticáveis, mas você provavelmente perceberá que elas poderiam inspirar outras, bastante razoáveis (a idéia de faltar uma vez por semana alegando doença, que é uma solução impraticável, mostrou que você precisava de tempo para esfriar a cabeça, o que, por sua vez, levou à idéia de não trabalhar nos fins de semana).

Estude cada idéia individualmente e pese cuidadosamente as conseqüências de levá-la a cabo. Escolha, por exemplo, a idéia de dar aulas de gerenciamento a seu chefe; não é uma boa idéia, porque ele provavelmente o julgaria impertinente e arrogante e pensaria que você ambiciona o lugar dele. Mas essa idéia levou àquela de você tomar aulas de gerenciamento de tempo, que é uma idéia sensata. Assim, você pode se imaginar perguntando ao chefe se a empresa pagaria seu curso de gerenciamento de tempo, pois acha que isso o ajudaria a lidar melhor com a enorme quantidade de serviço que você tem que fazer; você poderia até mesmo imaginar seu próprio chefe tomando as aulas também — desde que seja ele, e não você, a ter esta idéia — ou pelo menos imaginar-se compartilhando com ele algumas das coisas que aprendeu, o que no final das contas iria ajudá-lo a ser um gerente melhor.

Defina as Melhores Estratégias

Elimine as idéias que lhe pareçam ineficazes, e combine várias idéias, se isso for útil. Depois faça uma lista separada das três melhores. Sob cada uma faça uma lista de todas as conseqüências positivas e negativas que possam resultar. Eis algumas perguntas úteis para você fazer a si mesmo:

- Como essa estratégia afetaria o que eu preciso, o que eu quero, o que eu sinto?
- Como ela afetaria as pessoas que trabalham comigo?
- Como ela afetaria as pessoas importantes na minha vida?
- Quais são as conseqüências a curto prazo? E as conseqüências a longo prazo?

Utilizando algumas dessas perguntas para identificar os benefícios e as desvantagens da estratégia proposta de não trabalhar nos fins de semana, eis algumas respostas que você poderia obter:

- Terei tempo para esfriar a cabeça e ficar com minha família.
- Provavelmente terei que fazer serão várias noites por semana para terminar todo o serviço.
- Isso me ajudará a me sentir menos deprimido, irritado, ansioso.
- Como várias vezes terei de trabalhar até mais tarde, os outros empregados e o meu chefe verão como sou esforçado e talvez isso os inspire a serem também assim.
- Meus familiares irão sentir minha falta durante a semana, mas terão a certeza de que estarei com eles durante o fim de semana inteiro.
- Quando o chefe perceber que eu não trabalho nos fins de semana, provavelmente não vai me pedir para fazer aquele evento promocional que acontece em três finais de semana por ano, e do qual eu gosto de participar.

Decerto parece que os benefícios superam as desvantagens, de modo que essa seria uma boa estratégia a ser implementada. As outras duas estratégias que você selecionou são: tomar aulas de gerenciamento de tempo e estudar como poderia trazer outros membros da equipe para os seus projetos para que se desincumbam de algumas tarefas que normalmente cabem a você.

Avalie os Resultados

Você agora dispõe de três estratégias para lidar com a situação do emprego horroroso; as técnicas de resolução de problemas possibilitaram-lhe pensar numa reação nova a uma situação constantemente irritante e perturbadora.

Mas a solução do problema não termina aí; o estágio final é avaliar os resultados para ver se você precisa reformular ou alterar suas estratégias.

Eis algumas perguntas que você se fará em relação a isso:

- As coisas estão acontecendo como imaginei?
- Os resultados estão correspondendo aos meus objetivos?
- Esta solução é melhor do que a antiga?

Vamos dizer que você esteja tão atrasado em seu trabalho por não ter trabalhado nos fins de semana que agora precise trabalhar durante vários fins de semana seguidos; isto está criando problemas com sua família e privando-o do necessário período de repouso. Você poderia precisar repassar o processo da prática de resolução de problemas para encontrar uma solução diferente (pedir ao patrão uma ajuda ainda maior dos outros membros do departamento, verificar se existe algum meio de simplificar alguns projetos, etc.).

Técnicas Adicionais para Você Controlar suas Emoções

Já aprendemos a assumir o controle de cada um dos três componentes do nosso sistema emocional e estudamos o papel da prática da resolução de problemas; agora vamos estudar três técnicas adicionais — usar o humor, redirecionar sua energia emocional e tirar um tempo de folga —, que você poderá utilizar para ajudá-lo a controlar suas emoções.

Use o Humor

Todos nós já ouvimos o provérbio "Rir é o melhor remédio", e todos nós sem dúvida já experimentamos seus efeitos salutares sobre emoções negativas como raiva, depressão, tristeza, ansiedade. Bem, na realidade existe uma explicação científica para esse fenômeno: o riso, um subproduto do humor, estimula a liberação de uma substância protéica chama endorfina; à medida que aumenta o nível de endorfina no cérebro, diminui a percepção da dor, seja física ou emocional. Assim, o riso faz nosso corpo produzir seu próprio analgésico.

Existe, é claro, outro efeito benéfico do riso: ele serve como distração, afastando-nos, mesmo que por um momento, de qualquer emoção negativa que estejamos experimentando: é um pouco difícil ficar deprimido por causa do seu emprego horroroso na hora em que você está dando uma boa gargalhada. E esse instante de trégua pode ser bastante útil ao lhe dar um momento de descanso, seja para reavaliar sua situação, seja para assumir o controle de suas atitudes, seja para qualquer outra coisa. Eis alguns meios que descobri para trazer o humor para o meu dia-a-dia.

Dicas para Produzir Humor

1. Use a "Câmera Indiscreta". Tire cinco ou dez minutos do seu dia de trabalho para tentar olhar para os colegas, o escritório ou o chefe como se estivesse usando a "Câmera Indiscreta": observe-os a partir de uma perspectiva absurda, ridícula e tola, em lugar da perspectiva sisuda, sombria e irritante pela qual você os olha normalmente. Edward, que momentos antes estava dando suas costumeiras desculpas esfarrapadas para não ajudá-lo com o relatório, parece um bobo da corte discursando perto do bebedouro; a área de recepção, com todo esse equipamento e essas luzes piscando, parece a sala de comando da nave estelar *Enterprise*; seu chefe, que momentos antes estava resmungando por causa do seu atraso no relatório, parece uma gralha boba voejando de sala em sala. É provável que depois dessa experiência você volte para sua sala sentindo-se mais condescendente com seu chefe, com Edward, com o relatório. A questão não é rir dos outros e sim tomar consciência de que muitas vezes nós levamos acontecimentos e a nós mesmos demasiadamente a sério.
2. Tire uma folga para uma meditação de humor. Quando as coisas ficarem especialmente desagradáveis durante o dia, tente tirar uma folga curta, de cinco ou 10 minutos, para dedicar-se a fazer alguma coisa que tenha probabilidade de provocar uma risada, ou mesmo um risinho. Feche a mente o mais possível às distrações externas e leia alguns trechos engraçados de um livro de anedotas ou uma revista de humor, leia os quadrinhos do jornal ou relembre uma experiência engraçada.
3. Crie um ambiente cheio de humor. Monte no escritório ou local de trabalho um mural para quadrinhos, fotos engraçadas, anedotas e citações engraçadas, e vá contemplá-lo quando estiver precisando dar uma risada. Mude-o regularmente, para que o humor seja sempre renovado.

Redirecione sua Energia Emocional

Quando você experimenta uma emoção intensa, está gastando energia. Sua tendência é tensionar os músculos e movimentar mais o corpo, seus sistemas circulatório e respiratório funcionam muito mais depressa e sua mente se move a passos rápidos, com aqueles pensamentos automáticos. O que descobri que funciona bem nessas situações é redirecionar essa energia para alguma atividade que nada tenha a ver com a situação em questão.

Suponhamos que você esteja extremamente ansioso a respeito de sua avaliação profissional, que acontecerá mais para o final do dia. Você se flagra torcendo as mãos, andando de um lado para o outro, dizendo "Vou ser despedido. Ele vai me avaliar pessimamente"; em vez de continuar com essas atitudes que, como já vimos, irão apenas reforçar sua ansiedade, inicie uma tarefa simples, algo que o ocupe. Isso não apenas vai distraí-lo da sua ansiedade mas também ajudá-lo a adquirir uma sensação de realização por estar realmente fazendo alguma coisa útil.

Para mim é de grande ajuda fazer uma lista de algumas dessas ocupações — arquivar papéis, encomendar material, tirar o pó, passar anotações a limpo, arrumar a escrivaninha —, e então recorrer à lista quando preciso de alguma ocupação que me distraia. Lançar mão de coisas construtivas que você pode fazer quando estiver zangado ou ansioso é um bom antídoto para a sensação de estar imobilizado por essas emoções.

Tire Uma Folga

Do mesmo modo que as técnicas de relaxamento podem baixar seu nível de excitação, tirar uma folga de uma situação emocionalmente desgastante pode retardar suas reações emocionais. Às vezes a folga pode ser muito breve — você respira profundamente três vezes antes de responder ao seu chefe irado. Essa folga curta pode lhe dar o instante necessário para você abster-se de dizer alguma coisa da qual poderia se arrepender. A respiração profunda é o primeiro tipo de folga que você deve praticar sempre.

Algumas situações podem ser tão intensas, tão emocionalmente angustiantes, tão potencialmente instáveis, que a única maneira de você preservar sua dignidade — e talvez até o seu emprego — é afastar-se de todo. O exemplo anterior, do seu chefe menosprezando-o na reunião, é uma dessas situações; embora não seja fácil dar uma desculpa para retirar-se por um período de mais de cinco minutos, você poderia pedir licença para ir ao banheiro. Lá poderia aspergir água no pescoço ou nos pulsos, para "esfriar".

Vamos supor que um colega o aborde no corredor e se ponha a acusá-lo de sabotar a posição dele com o chefe de ambos. Você poderia dizer-lhe: "Escute, isso é uma coisa realmente importante e quero conversar com você sobre isso, mas espere eu pedir ao meu assistente para não me passar qualquer telefonema." Isso lhe dará alguns instantes para acalmar-se, ordenar os pensamentos.

A raiva é talvez nossa emoção datada de maior potencial de instabilidade, pois em geral é outra pessoa que a provoca. Em se tratando de raiva, uma folga de uma hora costuma bastar para você voltar a um estado no qual seja possível lidar eficazmente com a situação. Eis algumas maneiras de desarmar sua raiva.

Dicas para Controlar sua Raiva

1. Comunique sua raiva. Faça com que a pessoa com quem está tendo uma conversa irada saiba que você está zangado ou que a sua tensão está aumentando. Você poderia dizer algo como "Estou começando a ficar muito zangado".
2. Manifeste seu desejo de afastar-se temporariamente da situação. Você poderia dizer: "Eu gostaria de parar de discutir por um instante para poder pensar com mais clareza. Gostaria de voltar a conversar com você daqui a uma hora e resolver este assunto." Você deve marcar um limite de tempo para a folga, provavelmente não superior a uma hora. Deixar em aberto a duração dessa folga provoca uma grande tentação de adiar o problema indefinidamente, talvez com a esperança de que ele se resolva sozinho (o que não vai acontecer). Além disso, você não vai querer colocar a outra pessoa em desvantagem reservando-se a escolha do momento de recomeçar.
3. Afaste-se imediatamente. Respire então profundamente ou utilize afirmações construtivas no tempo que tiver para você.
4. Use a folga produtivamente. Durante a folga inicie alguma ocupação útil, como já discutimos acima. Use sua reação de relaxamento para acalmar-se.

Na Parte Dois deste livro, quando estudarmos como usar sua inteligência emocional para lidar com outras pessoas, vamos estudar com mais detalhes a forma como você e essa pessoa zangada devem proceder daí em diante para resolver a situação; por enquanto estas dicas bastam para levá-lo de um estado altamente carregado a um estado consideravelmente mais calmo — que é, naturalmente, o objetivo de controlar suas emoções.

Até Mesmo as Emoções Positivas Precisam de Controle

Embora a ênfase neste capítulo tenha sido colocada em controlar o que poderia ser chamado de emoções negativas — raiva, ansiedade, medo, depressão, frustração, por exemplo —, é preciso observar que emoções positivas como a alegria, o contentamento e a confiança também precisam ser controladas.

O entusiasmo, por exemplo, embora pareça uma coisa ótima, às vezes pode levar ao comportamento impulsivo. Pense naquele projeto, proposto na reunião, que você achou tão excitante que até se ofereceu para dirigi-lo, mesmo já tendo mais obrigações do que pode cumprir. Ou pense na alegria que sentiu por uma promoção, o que o levou a ir gabar-se com os colegas, um dos quais tinha sido rejeitado para essa mesma promoção.

É fácil verificar que usando suas técnicas de controle emocional você poderia ter lidado melhor com ambas as situações. Poderia ter respirado profundamente algumas vezes e conduzido um breve diálogo interno ("Vá com calma. Não se precipite. Esta idéia é ótima. Eu adoraria chefiar o projeto. Já tenho coisas demais a fazer"; ou: "Acalme-se. Pense direitinho. Esta promoção é uma ótima notícia. Não posso esperar para contar aos outros."). Então você poderia dedicar-se a uma prática de resolução de problemas. "Este novo projeto seria um trunfo para mim, e muito divertido, mas tomaria tempo demais e iria interferir de maneira adversa nos meus outros projetos. Não vou me oferecer para dirigi-lo. Mas se ele ainda não tiver sido levado a cabo quando eu tiver cumprido algumas das minhas tarefas, então vou pensar em fazê-lo." "Se me gabar por esta promoção, os outros vão me achar insensível em relação a Randi, que não conseguiu ser promovido. E podem também preocupar-se, imaginando que estou ficando vaidoso demais. Vou deixar que o meu chefe informe o resto da equipe a respeito de minha promoção."

Você provavelmente não se surpreenderá ao saber que em minhas palestras quase nunca me perguntam como controlar a felicidade ou a confiança, mas espero que entenda, pelos exemplos acima, o valor de aplicar todas as suas técnicas de controle emocional a essas emoções positivas, da mesma forma que faz com as emoções negativas.

Como Reunir Todas as Ferramentas do Controle Emocional

Neste capítulo estudamos os três componentes do seu sistema emocional — seus pensamentos, suas alterações fisiológicas e seu comportamento — e verificamos que é essencial mantê-los sob controle se você quiser controlar eficazmente suas emoções. Estudamos como esses componentes interagem e trabalham juntos: os diálogos internos construtivos podem ajudar a acalmar suas alterações fisiológicas e suas atitudes; o decréscimo no nível de excitação pode ajudá-lo a assumir o controle dos pensamentos e das atitudes; as reações de comportamento produtivas — a respiração profunda, por exemplo — podem ajudar a desligar os pensamentos automáticos destrutivos e facilitar o retorno a um nível de excitação confortável. Aprendemos também alguns métodos extraordinariamente úteis para controlar as emoções, sejam as técnicas de relaxamento ou os diálogos internos construtivos, seja tirar uma folga ou praticar a resolução de problemas.

Como aprendemos na Introdução, a inteligência emocional é a capacidade de fazer intencionalmente com que suas emoções trabalhem a seu favor; neste capítulo verificamos claramente que o controle das emoções é um elemento essencial e no próximo capítulo vamos estudar outro ingrediente importante da nossa inteligência emocional: a motivação. Controlar suas emoções é segurar as rédeas das emoções, ao passo que a motivação exige aprofundar-se em suas emoções e usá-las para manter-se concentrado, inspirado e progredindo. A motivação utiliza muitas das técnicas que você já aprendeu, tais como reconhecer diferentes emoções, desenvolver diálogos internos construtivos, usar a excitação e o comportamento. Como você já domina essas técnicas, está pronto para passar para o Capítulo 3.

3

Como Se Motivar

Todos nós já vimos dezenas de ofertas de emprego em que uma das qualificações exigidas é a motivação. O anúncio pode dizer "Exige-se iniciativa" ou "Precisa saber trabalhar sozinho": isso significa que a pessoa deve ser capaz de iniciar uma tarefa, persistir nela, progredir nela e ultrapassar quaisquer obstáculos — em outras palavras, a pessoa precisa estar motivada. É fácil entender por que a motivação é um atributo tão desejável no trabalho: um empregado motivado requer menos controle, tem menos períodos de baixa produtividade e maiores probabilidades de ser esforçado e criativo.

A Motivação é a Fórmula para Você Iniciar uma Tarefa e Persistir Nela

Tecnicamente, a motivação é aquilo que o leva a dispender energia numa direção específica com um propósito específico; no contexto da inteligência emocional, motivar-se significa usar seu sistema emocional para catalisar todo esse processo e mantê-lo em andamento. Suponhamos que você tenha que redigir um relatório mas está com muita dificuldade em iniciá-lo; você telefona para sua mãe para bater um papo, vai à cantina beber sua sexta xícara de café, espana pela décima vez a poeira do seu computador.

Sendo uma pessoa emocionalmente inteligente, você, em primeiro lugar, reconheceria que o que está faltando nessa situação é a motivação. Assim, provavelmente faria a si mesmo algumas afirmações motivadoras: "Já fiz muitos relatórios. Consigo fazer este de olhos fechados. Posso fazer tudo que for necessário para aprontá-lo." Você poderia caminhar em passos firmes até a recepção para energizar-se, mesmo não precisando ir até lá; poderia executar pequenas tarefas ligadas ao relatório a fazer, tais como reunir todas as suas anotações e a documentação necessária; se ainda assim lhe faltasse motivação, você poderia aconselhar-se com um colega que lhe desse apoio, como forma de ajuda para você retomar o curso; poderia até evocar sua mentora emocional — Eleanor Roosevelt — em busca de inspiração; talvez contemplasse os objetos motivadores que você colocou em sua sala. Então não vai demorar a perceber que sua confiança e seu entusiasmo estão voltando: você consegue sentar-se diante do seu computador — muito bem espanado — e começar a escrever. E, incrivelmente, o relatório parece fluir dos seus dedos.

Neste capítulo estudaremos detalhadamente as quatro fontes de onde você pode retirar motivação: você mesmo; os amigos, parentes e colegas solidários; um mentor emocional; seu ambiente.

Às vezes precisamos enfrentar situações muito mais drásticas — um projeto cancelado, a perda de uma promoção ou do emprego, por exemplo —, que provocam um grande estrago na nossa motivação, portanto vamos aprender a enfrentar os retrocessos e criar retomadas.

A maneira de utilizar essas fontes de motivação e lidar com os retrocessos pode diferir de um indivíduo para outro, mas os elementos da motivação são comuns a todos nós: confiança, otimismo, tenacidade, entusiasmo e resistência. É a confiança que nos permite crer que temos a capacidade de executar uma tarefa, é o otimismo que nos dá a esperança de que o desfecho será uma solução positiva, é a tenacidade que nos mantém concentrados na tarefa, é o entusiasmo que nos permite ter prazer no trabalho e é a resistência que nos permite começar tudo de novo. À medida que percorrermos este capítulo, verificaremos que cada um desses elementos é sustentado pelas quatro fontes de motivação, e que é quando esses elementos estão funcionando em plena forma que nossa motivação é suficiente para que o trabalho seja executado.

As Quatro Fontes de Motivação

Ver-se desmotivado pode ser angustiante: você se sente isolado, frustrado, temeroso, deprimido, ansioso; sua auto-estima provavelmente vai para o fundo do poço. Mas, felizmente, você não apenas possui as fontes às quais pode recorrer para restaurar sua motivação, como também já aprendeu nos capítulos anteriores algumas técnicas e ferramentas úteis para lidar com a falta de motivação.

Como já vimos, as quatro fontes de motivação são:

- Você mesmo (pensamentos, excitação, atitudes/conceitos familiares)
- Amigos, parentes e colegas solidários (que eu chamo de Time de Ouro)
- Um mentor emocional (uma pessoa real ou fictícia)
- Seu ambiente (o ar, a iluminação, os sons, as mensagens motivadoras dispostas em sua sala)

Embora às vezes uma dessas fontes baste para aumentar ou ressuscitar sua motivação, outras situações podem exigir a panóplia inteira. Nas próximas seções você vai aprender a recorrer a essas fontes, tendo como objetivo utilizar cada uma delas para gerar forças motivadoras.

Você Mesmo

Você é a força de motivação (e, inversamente, de desmotivação) mais poderosa, porque é em você que tudo começa. Um indivíduo (seu colega da sala ao lado), um mentor emocional ou um herói-modelo (Emma Peel dos *Avengers*) e seu ambiente (as fotos em sua sala) podem certamente reforçar sua motivação, mas em última análise são seus pensamentos, sua excitação e seu comportamento — os componentes do seu sistema emocional — que determinam como você irá utilizar essas outras fontes. Vamos estudar cada um desses componentes e ver como eles podem ser utilizados para você se motivar e manter-se motivado.

Pense Positivamente

O recurso interior mais importante de que você dispõe para se motivar são os seus pensamentos. No capítulo anterior vimos como o raciocínio distorcido pode ser destrutivo; é fácil entender por que pensamentos negativos, tais como "Sou um péssimo redator, nunca conseguirei terminar este relatório, é idiotice exigir relatórios semanais", só irão sabotar sua confiança e seu entusiasmo, ao passo que afirmações positivas, como "Já fiz tantos relatórios que consigo fazer este num instante, esses relatórios semanais são uma boa oportunidade para eu identificar as áreas que precisam de atenção", têm efeito oposto. Os pensamentos positivos são um tônico para sua motivação, ao passo que os pensamentos negativos são um veneno.

Há várias técnicas que você pode pôr em prática para pensar positivamente. Usar afirmações motivadoras, jogar joguinhos mentais, concentrar os pensamentos, usar o imaginário mental, dedicar-se à autocrítica construtiva e adotar objetivos importantes — eis algumas das mais eficazes, como veremos abaixo.

Use Afirmações Motivadoras

São as afirmações que reforçam o seu otimismo, a sua tenacidade, a sua flexibilidade. Elas lhe dizem que você tem capacidade e empenho para cumprir determinada tarefa; você pode pensar nelas como afirmações que gostaria de ouvir de alguém que estivesse tentando fortalecer sua confiança, mas é você mesmo quem as faz: "Eu consigo fazer este planejamento de *marketing*. Pesquisei a fundo todas as cifras. Ninguém conhece o mercado melhor que eu. Aconteça o que acontecer, vou concluir este projeto."

Fazer afirmações deste tipo pode lhe parecer meio estranho, de modo que você precisa criar o hábito de fazê-las. O exercício a seguir vai ajudá-lo nisso. Você deve praticá-lo durante os próximos 30 dias, ou pelo tempo que for preciso para que essas afirmações motivadoras lhe venham com facilidade.

Exercício para Aprender a Fazer Afirmações Motivadoras

1. Todas as manhãs, ao sentar-se à sua escrivaninha, faça a si mesmo uma afirmação motivadora. Alguns exemplos são: "Estou apto a cumprir todas as tarefas que me cabem fazer hoje", "Tenho competência para fazer tudo que preciso fazer hoje", "Terei um dia muito produtivo".
2. Cada vez que receber uma nova tarefa, faça imediatamente algumas afirmações motivadoras. Por exemplo: "Estou em condições de fazer tudo que for necessário para completar esta tarefa" ou "Posso persistir nela até que fique pronta e perfeita".
3. Transcreva numa ficha suas afirmações motivadoras mais poderosas. "Sei o que devo fazer para começar esta tarefa e levá-la a cabo com sucesso", "Tenho capacidade para ir até o fim", "Nada vai me impedir de terminar este trabalho", são alguns exemplos. Coloque a ficha num local onde você possa vê-la facilmente e leia as afirmações sempre que sentir sua motivação baixar.

De maneira geral você saberá quando as afirmações motivadoras são necessárias. As indicações são os pensamentos negativos ("Nunca vou conseguir terminar este planejamento de *marketing*") e a inércia: você fica sentado olhando para a parede porque se sente sobrecarregado pelo trabalho a fazer. Simplesmente comece a fazer a si mesmo as afirmações motivadoras; repetindo-as muitas vezes você começa a acreditar nelas, e este é o primeiro passo para voltar à atividade na tarefa a ser executada. Na próxima seção estudaremos outra técnica de motivação através da mobilização dos seus pensamentos.

Pratique Jogos Mentais

Dois jogos que acho muito úteis para ajudar a acionar a motivação são: "O Primeiro Dia" e "O Melhor Dia de Trabalho". Embora diferentes — em seguida vou explicar cada um —, ambos envolvem o uso produtivo de suas emoções e são baseados na mesma premissa: as fantasias mentais podem orientá-lo num curso de pensamento otimista que não só afasta os pensamentos negativos como também estimula o acionamento da excitação positiva — e isso vai motivá-lo a agir, como veremos mais adiante. Eis como se joga "O Primeiro Dia":

Exercício para Aprender o jogo "O Primeiro Dia"

1. Finja que este é o primeiro dia de um novo emprego. Digamos que a tarefa que você está achando tão difícil iniciar e completar é uma longa carta para um cliente em potencial detalhando os benefícios que ele terá se escolher negociar com você e não com a concorrência; embora você tenha no passado escrito dezenas de cartas, saiba de cor o que pode oferecer e tenha feito anotações completas sobre aquilo que o cliente procura, ainda assim está sentindo dificuldade para se sentar e juntar as duas coisas. Imagine então que é o seu primeiro dia num novo emprego; você herdou do seu antecessor a tarefa de escrever essa carta, e ele lhe passou todas as informações importantes.

2. Aborde a tarefa como faria se esse fosse realmente o seu primeiro dia em um novo emprego. Se fosse mesmo o primeiro dia em um novo emprego, é bem provável que você estivesse cheio de entusiasmo para se dedicar àquilo que precisa ser feito. E a maneira pela qual você faria isso seria: começar com uma determinada tarefa — rever a lista das necessidades do cliente e colocá-las em ordem de prioridade, por exemplo — e depois passar para as outras. Colocando-se nesse estado de espírito diferente (a tarefa é novidade para você, não aquela chatice

de sempre, portanto é excitante), você conseguirá abordar a tarefa com vontade e otimismo.

3. Use o jogo "O Primeiro Dia" como uma reação condicionada. Você se lembra de ter aprendido no capítulo anterior que a reação condicionada de relaxamento é um meio de reprogramar sua excitação e transformá-la em tranqüilidade pelo método de evocar imagens tranqüilizadoras, instantânea e automaticamente, ao primeiro sinal de excitação. Agora você vai reprogramar sua falta de motivação e transformá-la em motivação usando cartazes onde se lê "O Primeiro Dia" para evocar instantaneamente os sentimentos de entusiasmo e confiança. Coloque na sua sala um cartaz onde se lê "O Primeiro Dia", ou programe seu computador para que os dizeres "O Primeiro Dia" apareçam na tela quando você o liga; diga "O Primeiro Dia" várias vezes, com voz firme; imagine a energia e o entusiasmo que você tem no primeiro dia de um novo emprego. Ao longo do tempo você conseguirá condicionar-se para adquirir energia e entusiasmo simplesmente lendo esses dizeres.

Exercício para Aprender o jogo "O Melhor Dia de Trabalho"

1. Imagine que este é o melhor dia que você já teve na sua vida profissional. Imagine-se pleno de energia e de idéias, conseguindo fazer muitas coisas, as pessoas elogiando muito o seu trabalho.

2. Imagine algumas coisas específicas que você poderia fazer no seu melhor dia de trabalho. Suponhamos que uma das coisas que você se imagina fazendo nesse dia seja redigir um planejamento de vendas inovador: você revê as cifras de vendas, analisa tendências, faz gráficos e tabelas, fornece explicações, coloca tudo no papel, apresenta o planejamento à equipe e todos dizem que está maravilhoso.

3. Vá ao encontro do otimismo, do entusiasmo e da confiança que você estaria sentindo no seu melhor dia de trabalho. Uma vez que você se imagine progredindo em uma das coisas que poderia fazer no seu melhor dia, fica fácil entrar em contato com os sentimentos positivos que você poderia então experimentar.

4. Use o jogo "O Melhor Dia de Trabalho" como uma reação condicionada. Veja as instruções na parte referente ao jogo "O Primeiro Dia."

Enfoque seus Pensamentos Através do Bloqueio de Tempo e do Bloqueio Focal

Essas duas práticas lhe permitem direcionar seus pensamentos para motivar-se. Ao destinar tempo e espaço para você redirecionar seus pensamentos, essas práticas o ajudarão de maneira direta a enfrentar o desânimo, a fuga e a inércia.

Todos nós já tivemos dias em que começamos cheios de motivação e energia, porém no meio da manhã percebemos que ainda não havíamos feito coisa alguma. Isso desencadeia todo um ciclo negativo de perda de confiança, entusiasmo e tenacidade: parece impossível fazer alguma coisa, e então se torna mesmo impossível fazer alguma coisa. É aí que você pode usar o Bloqueio de Tempo.

Usar o Bloqueio de Tempo é destinar um período de tempo para ser empregado no trabalho intensivo. Você dirá aos colegas que não quer ser perturbado, e não atenderá telefonemas; essencialmente, você constrói uma pequena bolha em torno de si e determina que esse espaço e esse intervalo de tempo serão uma área de trabalho intensivo. Esse tempo pode ser 10 minutos, meia hora, duas horas. Não determine um período maior do que julga ser capaz de usar, caso contrário começará a sentir novamente que não consegue fazer coisa alguma. Então, como você anunciou que aquele seria um período de trabalho intensivo e as outras pessoas estão cientes disso, você terá que utilizá-lo, e bem. E irá fazer isso.

Para incrementar a utilização do Bloqueio de Tempo você pode praticar o Bloqueio Focal. Trata-se de destinar um período de tempo para determinar e anotar as tarefas que serão feitas durante o Bloqueio de Tempo. Usando o exemplo do dia que começou bem, digamos que em certo momento no meio da manhã você se dá conta de que está jogando paciência no computador ou que já verificou três vezes sua caixa postal sem que esteja esperando alguma coisa importante, e finalmente você reconhece que sua motivação desapareceu. Portanto faça uma lista de todas as coisas que gostaria de fazer durante seu período de tempo bloqueado. Digamos que você reservou uma hora; poderia destiná-la para cinco telefonemas que precisa dar e dois memorandos que precisa escrever antes do final do dia; você não apenas terá certeza que conseguirá fazer alguma coisa durante o tempo bloqueado, como seu desempenho servirá para reforçar sua crença na capacidade de fazer seu trabalho e lhe trará inspiração para prosseguir.

Às vezes é útil determinar no início da semana o período semanal de tempo bloqueado; determine quatro horas, por exemplo, e use-as para fazer todas aquelas tarefas para as quais lhe falta motivação. E certifique-se de fazer sua lista de tarefas antes do período bloqueado, para poder utilizá-lo da maneira mais produtiva possível.

A Inteligência Emocional em Ação

Detesto preencher a enorme quantidade de faturas que meu trabalho exige, e costumava ter muito talento para inventar meios de adiar a tarefa. Mas fui ficando tão atrasada que comecei a ter sérios problemas — como baixo capital de giro. Não podia deixar isso acontecer.

Eis o que faço agora: todas as semanas, em geral na tarde da quinta-feira, digo ao meu assistente que não quero ser perturbada durante duas horas; vou para a minha sala e trabalho apenas nas faturas, nada mais.

Duas horas depois, terminei tudo e estou feliz. Antigamente eu teria levado duas semanas, e não duas horas, para conseguir fazer isso. (Madeleine T., proprietária de uma empresa de bufê)

Use Imagens Mentais

Os seres humanos possuem a capacidade peculiar de visualizarem-se em quase qualquer situação, independentemente de onde estejam ou do que estejam fazendo na ocasião. Na seção sobre a prática da resolução de problemas verificamos que a visualização do desfecho de determinada situação pode ajudá-lo a avaliar a rota que tomou para chegar até lá; aqui as imagens mentais serão usadas para nos reanimar e nos colocar em atividade pelo método de nos visualizarmos nessa atividade; através da nossa visualização criamos a percepção de que podemos executar determinada tarefa, e em pouco tempo constatamos que realmente podemos.

Eis como funcionam as imagens mentais: o ato de imaginar-se fazendo alguma coisa pode muitas vezes induzir as mesmas reações fisiológicas provocadas pelo ato de fazer a coisa imaginada. Por exemplo: se você se imaginar correndo pela rua para pegar um ônibus, ocorrerão em seus músculos contrações mínimas, porém mensuráveis, semelhantes às que ocorreriam se você estivesse realmente correndo. Visualizar-se fazendo uma apresentação perfeita pode provocar a mesma excitação fisiológica — isto é, entusiasmo e confiança — que o ato de fazer a apresentação provocaria.

Outro aspecto das imagens mentais em relação à motivação é que elas são baseadas na imitação. Todos nós sabemos que em geral a maneira mais eficaz de aprender um novo comportamento é imitar alguém que consiga praticá-lo com sucesso. Um vendedor tímido pode observar seu colega tentando fazer uma venda e imitá-lo, para treinar e aprender a fazer o mesmo; de modo semelhante, você pode pegar a imagem mental que tem de si próprio fazendo aquela apresentação perfeita e imitar na realidade aquilo que se imaginou fazendo.

O significado de tudo isso é que ao identificar, enumerar e praticar mentalmente os passos necessários para ter sucesso em alguma coisa — gosto de pensar neste processo como um ensaio mental — será mais fácil você se motivar para dar esses passos na vida real. Eis um exercício que vai ajudá-lo nisso:

Exercício para Utilizar as Imagens Mentais

1. Relaxe, fechando os olhos e respirando lentamente.
2. Evoque mentalmente a tarefa para a qual está se sentindo desmotivado — por exemplo, preencher um formulário de avaliação de um funcionário. Concentre-se nas sensações que experimentaria nessa situação: veja-se sentado à sua escrivaninha, sinta sob seus dedos as páginas do formulário de avaliação, ouça telefones tocando e gente conversando no corredor.
3. Imagine-se lutando para realizar a tarefa. O papel está à sua frente; imagine-se começando a escrever alguma coisa e depois riscando-a; passando para a parte seguinte da avaliação e sentido-se incapaz de escrever qualquer coisa; imagine-se frustrado, talvez andando de um lado para o outro pela sala.
4. Imagine-se retomando o domínio de si. Você está novamente sentado à sua escrivaninha, está se sentindo calmo e controlado, e começa a preencher uma das seções do formulário.
5. Imagine-se conseguindo completar a tarefa. Vizualize-se completando progressivamente o formulário de avaliação, preenchendo cada seção com críticas construtivas e sugestões de aperfeiçoamento.
6. Imagine sua satisfação. Você completou a avaliação, está feliz por ter executado a tarefa e orgulhoso por ter feito boas observações.

O valor deste exercício é que ele lhe permite ver como exeqüível uma tarefa antes considerada impossível; ao mentalizá-la passo a passo e incentivar-se do início ao fim a persistir nela você se visualiza conseguindo completá-la; isso irá então incentivá-lo a executá-la na realidade.

A mente é um órgão muito poderoso; nossos pensamentos e imagens mentais podem exercer uma influência tremenda em nosso comportamento real, como veremos com mais detalhes na próxima seção.

Use a Autocrítica Construtiva

Não há maior aniquilador da confiança e do entusiasmo do que a crítica negativa: lembre-se do exemplo apresentado no primeiro capítulo, do chefe que chama de "disparatada" uma idéia apresentada durante uma reunião. Inversamente, não há melhor maneira de ajudar uma pessoa a sustentar o dinamismo e a confiança do que oferecer uma crítica construtiva: "O relatório sobre as modificações ergonômicas que poderíamos introduzir no escritório é de grande utilidade. Você pesquisou todos os aspectos da questão com bastante cuidado. Acho muito dispendiosa a compra de novas cadeiras, conforme o relatório recomenda, mas talvez você pudesse pesquisar meios de reformarmos as cadeiras que já temos."

Você pode ver no exemplo acima que o autor do relatório vai se sentir altamente motivado, não apenas para pesquisar a reforma das cadeiras como também para redigir outros relatórios e enfrentar tarefas igualmente difíceis; a autocrítica positiva funciona da mesma maneira, com a diferença de que é você quem faz a crítica construtiva a si mesmo.

Para a maioria de nós não é fácil fazer uma autocrítica, pois estamos acostumados a considerar erradas todas as coisas que fazemos; mas a autocrítica construtiva é um elemento essencial no processo de motivar-se. Eis um exercício para aprender a utilizá-la:

Exercício para Utilizar a Autocrítica Construtiva

1. Escolha uma tarefa com a qual você está tendo dificuldade no momento. Digamos que a tarefa seja redigir um relatório para o chefe explicando por que seu departamento não tem condições de dispensar qualquer dos empregados segundo o novo esquema de redução do quadro da empresa.

2. Releia o que já escreveu e enumere para si mesmo as razões por que esse material é bom, eficaz e útil — e, caso não seja, como você poderia aperfeiçoá-lo. Prosseguindo no exemplo anterior, você revê os cinco pontos que já escreveu e diz a si mesmo que eles fazem sentido, são racionais e ilustram claramente as razões por que a produtividade cairia se você dispensasse até mesmo um único empregado. Você percebe que foi um pouco prolixo em algumas das explicações e sugere a si mesmo fazer alguns cortes para que seus argumentos tenham mais impacto.

3. Sinta-se bem com o que fez. Reconheça que fez um bom trabalho, que pode consertar o que precisa de conserto. Esse reconhecimento vai lhe dar confiança, otimismo e entusiasmo para levar até o fim o resto do relatório.

O que podia estar impedindo você de continuar o relatório antes de aplicar-se o tratamento da autocrítica construtiva era a autocrítica negativa:

"Esses argumentos não convencem. O chefe não vai conseguir entender o que estou querendo dizer." Vimos no Capítulo 2 que uma boa maneira de interromper os pensamentos automáticos destrutivos é aprender a utilizar o diálogo interno construtivo; do mesmo modo você pode evitar os efeitos desmotivantes da autocrítica negativa fazendo imediatamente uma autocrítica construtiva.

A Inteligência Emocional em Ação

Uma das coisas que constatei logo no início da minha carreira de arquiteta é que eu era demasiado severa em minha autocrítica. Depois de trabalhar num projeto durante uma semana eu dizia a mim mesma que ele não prestava; descobria nele milhões de coisas erradas. Então desistia e passava para outra idéia; a mesma coisa tornava a acontecer. É claro que eu nunca terminava um projeto. Comecei a ficar desanimada.

Um dia meu chefe me chamou e perguntou qual era o problema. Eu lhe disse que sempre começava bem, mas quando olhava para meu trabalho encontrava defeitos e perdia a motivação. Ele me respondeu que todos os arquitetos encontram defeitos em seu próprio trabalho, e que o segredo era: ao encontrar um defeito, dizer a mim mesma como eu poderia corrigi-lo. Interiorizei a mensagem dele: trabalhava alguns dias num projeto e então me punha a criticá-lo, só que passei a reagir a essas críticas: desenvolvia um diálogo comigo mesma e fazia o papel das duas interlocutoras — a que criticava e a que recebia a crítica. Fazia com que uma escutasse o outra. Era uma espécie de diálogo socrático comigo mesma.

Agora, quando desenvolvo esse diálogo de autocrítica construtiva, constato que meu trabalho sai melhor. Digo a mim mesma como ele podia melhorar, e constato que isso me motiva muito. (Jennifer L., arquiteta)

Ao olhar para seu projeto e dizer a si mesmo onde ele precisa ser aperfeiçoado, você se direciona, percebe em quê precisa trabalhar mais; é isso que vamos estudar na próxima seção.

Proponha-se Metas Importantes

Quando está motivado, você tem um senso nítido de direção, sabe onde vai; quando perde o senso de direção, a motivação tende a abandoná-lo. É aí que entram as metas.

Uma meta é um objetivo específico, que estimula sua excitação: por exemplo, sua meta de ser o melhor redator do seu departamento excita seu desejo de atingir essa meta; essa excitação é então transformada em energia que o ajudará a atingir seu objetivo.

Se você se propõe como meta uma coisa fácil demais — conservar seu emprego de redator, por exemplo —, ela se torna maçante e então não vai lhe servir de estímulo; se, por outro lado, você a faz utópica — quer ganhar um milhão de dólares como redator —, corre o risco de sofrer decepção e fracasso. O segredo é propor-se uma meta que vai lhe provocar excitação, que vai fazer com que você continue tentando, mas que pode ser alcançada, mesmo que com um esforço extraordinário e com a ajuda de um pouco de sorte.

Quando sua meta é extremamente ambiciosa — tornar-se o melhor redator da empresa, apesar de haver nela muitos veteranos com anos de prêmios —, você pode às vezes ficar desanimado. Então você precisará reforçar constantemente sua tenacidade. Abaixo estão algumas dicas para ajudá-lo a fazer isso.

Dicas para Utilizar sua Metas com Eficácia

1. Reconheça seu progresso na direção de sua meta. Dê a si mesmo uma dose de reforço positivo para servir de combustível. No exemplo do redator, você poderia reconhecer que depois dos três primeiros projetos você recebeu um dos mais importantes; no projeto seguinte seu chefe escolheu elogiar você quando essa campanha fez as vendas ultrapassarem as projeções; você continua a ser encarregado de projetos importantes. Reconhecendo seu progresso você verá que está realmente se aproximando da sua meta, e esse reconhecimento irá incentivá-lo a continuar a esforçar-se e progredir.
2. Concentre-se na proximidade da sua meta. É muito fácil enxergar a distância que temos que percorrer, esquecendo-nos da distância que já percorremos. Mesmo se você avançou apenas 25% no caminho para atingir sua meta, diga a si mesmo que está um quarto mais perto, e não que ainda faltam três quartos para alcançá-la — assim você poderá sentir-se feliz por ter ido de 0 a 25, e não desanimado porque ainda falta ir de 25 a 100. No exemplo do redator, vamos dizer que há 20 pessoas no departamento e você agora é o quinto em importância, ou está a um quarto do caminho de se tornar o número um; diga a si mesmo: "Uau, em três anos cheguei a número cinco no meu departamento!" Isso lhe trará motivação para continuar progredindo e percorrer o resto do caminho.

Nesta seção sobre o pensamento positivo aprendemos que podemos mobilizar os pensamentos para manter nossa motivação; vimos de passagem que nossa excitação desempenha um papel nisso — como um catalisador para nos manter em movimento na direção de um objetivo, por exemplo.

Na próxima seção vamos estudar com mais detalhes como a excitação é também essencial para a motivação.

Utilize a Excitação para Produzir Energia

Em sua forma mais primitiva e pura, a motivação é identificada por um aumento da excitação fisiológica que nos incita ou impele; isto é válido tanto para um redator que se esforça para ser o melhor em seu departamento quanto para um gato tentando capturar a borboleta que voa pelo jardim. A motivação é intrínseca a seres humanos e animais, e é movida por um aumento na excitação física, uma demanda de esforço.

Mesmo uma atividade aparentemente sedentária e quase automática como preencher faturas requer um dispêndio de energia: seus olhos e dedos se movem, seu cérebro calcula os números; sem um aumento na excitação física — provocado talvez pelo desejo de terminar a tarefa ou pela alegria imaginada quando ela estiver completada — você não terá energia para terminar as faturas. De modo que precisa aprender a excitar-se, mobilizar essa excitação e transformá-la em energia. Você então mobiliza essa energia para ajudá-lo a completar a tarefa. Veremos a seguir algumas maneiras de usar sua excitação para motivar-se.

Mexa-se

Certamente todos temos momentos de baixa energia, em que parecemos estagnados atrás da escrivaninha, incapazes de conseguir fazer alguma coisa; lutamos para não fechar os olhos ou deixar a cabeça pender sobre o peito. Então descemos a escada e atravessamos o prédio todo, até a recepção; quando regressamos à nossa escrivaninha estamos espantosamente revigorados e prontos para voltar ao trabalho. Sem dúvida, aqueles que na hora do almoço praticam aeróbica, *cooper* ou ginástica numa academia percebem que depois se sentem mais energizados e revigorados.

Existe uma explicação fisiológica para tudo isso: quando você faz ginástica, seu sangue corre mais depressa, para levar mais nutrientes aos músculos, órgãos e outras partes do corpo (lembre-se do que acontece durante a reação lutar/fugir), e seu ritmo respiratório se acelera para levar mais oxigênio às células. Quando você chega de volta à sua mesa depois do passeio até a recepção ou da ginástica na academia, seu corpo e cérebro obtiveram os nutrientes de que necessitam — em diferentes graus, é claro.

Isso vai impedir que você se sinta mole (a moleza provavelmente foi causada por insuficiência de oxigênio) e vai ajudar seu cérebro a funcionar melhor.

Há outra explicação para o motivo de nos sentirmos tão revigorados quando fazemos exercícios: o exercício estimula a produção de endorfina e a liberação de endorfinas nos transmite a sensação de bem-estar — já estudamos essas substâncias na seção sobre o humor, no capítulo anterior. Assim, sempre que você sentir sua motivação fugir ou sua energia baixar, levante-se e dê uma volta. Abaixo estão algumas dicas para trazer dinamismo para o seu dia de trabalho sem precisar levantar pesos numa academia ou nadar uma hora na piscina.

Dicas para Movimentar-se pelo Escritório

1. Caminhe sempre que tiver oportunidade. Use a escada em vez do elevador; use o banheiro mais distante da sua sala; caminhe até a sala de cópias em vez de mandar alguém levar seu trabalho para ser copiado; vá conversar com Ralph na Contabilidade quando precisar de uma desculpa para levantar-se e dar uma volta.

2. Faça alguns movimentos simples de alongamento sentado à sua mesa. Tire cinco minutos sentado à sua mesa para fazer alguns exercícios quase imperceptíveis. Podem ser alongamentos do pescoço (gire a cabeça num semicírculo para a frente e para trás ao largo do peito), elevação de pernas (levante uma perna de cada vez até que ela fique paralela ao chão e mantenha essa posição por alguns segundos), alongamento de braços (levante um braço de cada vez acima da cabeça e estenda-o para o lado oposto). Mas, preste atenção: se você tiver problemas nas costas ou qualquer outro problema físico, consulte seu médico antes de fazer um desses exercícios.

3. Levante-se na hora do almoço. Muitos de nós trazem sanduíches e almoçam rapidamente, sentados à mesa de trabalho; se você faz isso, caminhe até a loja da esquina, a lanchonete ou a carrocinha, para comprar algo para beber — o mínimo que você pode fazer é utilizar o bebedouro mais distante. Se você vai comprar alguma coisa para trazer e comer sentado à sua escrivaninha, não peça a alguém para fazer isso: saia você mesmo para comprar; o tempo gasto será bem recompensado pela motivação renovada que você terá depois desse pequeno dispêndio de energia.

4. Se você conta com total privacidade em sua sala, pode praticar alguns exercícios mais vigorosos, tais como fazer flexões ou correr sem sair do lugar.

A Inteligência Emocional em Ação

Trabalho em publicidade e tenho que fazer muitas apresentações dos comerciais que produzo para os clientes. É um ramo muito competitivo, e temos apenas uma chance de convencer o cliente. Acho de suma importância estar entusiasmado durante a venda; os clientes sentem isso, e além disso eu me sinto bem.

De modo que, para experimentar aquela sensação de entusiasmo antes da apresentação, passo alguns minutos fazendo exercícios de boxe: dou pulinhos, dou alguns murros no ar, fico na ponta dos pés, faço fintas; antes de terminar um *round* já estou no ponto: preparado para o meu cliente, e me sentindo muito bem. (Jeffrey C., gerente de contas de publicidade)

Relaxe

Pode parecer paradoxal aconselhar o relaxamento para elevar seu nível de energia depois de aconselhar o oposto, mas a verdade é que quase todos nós ficamos tão exauridos pelos longos dias de trabalho, pelas atividades relacionadas à família e outros compromissos, que nos sentimos cansados demais para reunir a motivação necessária para fazermos nosso trabalho. Moleza, fadiga e apatia tanto podem ser causados pelo cansaço como pela falta de oxigênio nas células ou de nutrientes nos órgãos. As manifestações são as mesmas, porém a causa é diferente.

Se o cansaço é a causa da sua incapacidade de entusiasmar-se, então você precisa destinar regularmente longos períodos ao relaxamento; é preciso deixar que as células, os órgãos e os sistemas circulatório e respiratório superativos — assim como seu sistema emocional — descansem, reabasteçam-se e se regenerem. Lembre-se de como você volta energizado de umas férias relaxantes.

Recomendo uma hora por dia — porém se você só dispuser de 20 minutos isso certamente é melhor do que nada. Use esse tempo para ficar sozinho, quieto, sem ser perturbado. Tome um banho, leia um livro, ouça música, medite. Feche os olhos e apague todos os pensamentos a respeito de trabalho.

Obviamente essas atividades só podem ser feitas em casa. Eis um modo de conseguir relaxar no escritório, dependendo da privacidade de que você dispõe: tire um cochilo. Algumas pessoas acordam espantosamente revigoradas depois de deitar a cabeça na mesa e dormir durante cinco ou 10 minutos; com outras acontece o oposto. Você pode precisar de um despertador para ter certeza de que vai acordar quando quiser, ou de um chamado da sua secretária ou de um colega. E certamente não vai querer que alguém entre e o flagre dormindo no trabalho.

Na seção acima vimos a importância da excitação para nos ajudar a criar motivação; agora vamos estudar como podemos utilizar para esse fim os nossos atos e procedimentos.

Utilize Atos e Procedimentos Produtivos

Você pode estar num estado de espírito positivo para começar e terminar determinada tarefa, pode estar cheio de energia para fazer o que for preciso para completar a tarefa, mas pode descobrir que está faltando alguma coisa e que você ainda não está motivado. O que está faltando são certos atos e procedimentos que você pode utilizar para dar a si mesmo aquele empurrão definitivo.

Nesta seção vamos estudar dois modos como você poderá utilizar os atos e procedimentos produtivos: o primeiro é dividir uma tarefa em várias minitarefas e o segundo é monitorar suas atitudes a fim de determinar aquelas particularmente eficazes para ajudá-lo a motivar-se.

Divida o Trabalho em Pequenas Tarefas

Muitas vezes nos sentimos assoberbados por uma tarefa; o tempo é pouco e há coisas demais a fazer, e não temos os recursos que nos permitirão levá-la a cabo. Uma vez que você comece a se sentir assoberbado, sentimentos negativos de toda espécie — frustração, ansiedade, medo — começam a assaltá-lo, e antes que você se dê conta sua motivação fugiu pela janela e você não consegue fazer coisa alguma.

Um relatório de 30 páginas é realmente uma empreitada assustadora, mas se você pensar nele como 30 relatórios de uma página ou seis relatórios de cinco páginas ele parecerá bastante possível. O que você tem que fazer, portanto, é pegar qualquer projeto para o qual a motivação lhe foge e dividi-lo em minitarefas, e então fazer uma de cada vez. Eis algumas sugestões para isso:

Dicas para Dividir um Trabalho em Pequenas Partes

1. Faça uma lista de todas as tarefas relacionadas ao projeto em questão. Usando o exemplo do relatório de 30 páginas, eis algumas das tarefas que podem ser necessárias:

Pegar informações de pesquisa com Marilyn.
Pegar as cifras das vendas com Jonathan.
Pegar as cifras dos lançamentos de produtos similares.
Pedir a Harold uma cópia do último relatório dele.
Fazer uma lista do que quero que o relatório cubra.
Fazer um esboço.
Redigir a Seção 1.
Redigir a Seção 2.
Redigir a Seção 3. (...)
Redigir a Seção 8.
Redigir a Conclusão.

Cada uma dessas tarefas em si é simples; a redação provavelmente será a parte mais difícil, mas nenhuma das seções tem mais de quatro páginas. Embora cada tarefa ainda possa provocar ansiedade, medo ou frustração, será em grau muito menor do que se esses mesmos sentimentos fossem provocados pelo fato de você pensar no relatório como um trabalho enorme. Conseqüentemente, será mais fácil conservar a confiança e o entusiasmo num nível em que eles ajudarão a manter sua motivação.

2. Faça da sua primeira tarefa um sucesso garantido. Como no caso desse relatório existe uma certa seqüência a ser seguida, você não pode simplesmente começar onde quiser — vai precisar reunir a pesquisa e a documentação antes de poder fazer o esboço, vai precisar planejar a estrutura antes de poder começar a redigir uma seção. Mas, ao providenciar o material que você primeiro precisa reunir, comece com o mais fácil: se é quase impossível entrar em contato com Jonathan, então não comece por ele; se Harold não tem boa vontade para dar instruções ou informações, não comece por ele; se você sabe que Marilyn é muito prestativa, generosa e disposta, então essa seria uma boa tarefa inicial. O sucesso vai nutrir seu otimismo, dando-lhe a motivação necessária para você empreender a tarefa seguinte.

Ao passar de uma tarefa para outra, mesmo que algumas possam ser mais problemáticas que outras, você ganha impulso, sua confiança aumenta e o relatório de 30 páginas já não é uma empreitada impossível e utópica, mas um projeto possível e exeqüível, feito de tarefas pequenas e simples.

Observe suas Atitudes

Como aprendemos no Capítulo 2, os padrões de comportamento são tendências, ou atos que repetimos vezes sem conta. Ao observá-los e examinar como eles afetam sua motivação você poderá descobrir quais deles devem ser conservados e quais devem ser abandonados.

No caso do relatório, eis alguns procedimentos que você possivelmente adotou no passado, ao preparar um relatório longo:

- Pedir conselhos a muitas pessoas.
- Estudar a pesquisa até conhecê-la praticamente de cor.
- Redigir a introdução antes de qualquer outra seção.
- Fazer muitas anotações em fichas.
- Caminhar pela sala quando as palavras lhe faltarem.

Faça um gráfico e registre a eficácia de cada um desses procedimentos, e então anote os possíveis procedimentos revistos. Eis como poderia ser um gráfico desse tipo:

Procedimento	*Conseqüências*	*Eficácia*	*Procedimento revisto*
Pedir conselhos a muitas pessoas.	Demorou demais e muitas vezes não fiz o que as pessoas sugeriram.	Perdi muito tempo; detestava ter que procurar tanta gente, de modo que adiei fazer isso, e ainda magoei as pessoas cujos conselhos não segui.	Ser mais seletivo quanto às pessoas a quem peço conselhos, escolhendo aquelas com quem acho que vou concordar e que não ficarão ofendidas se eu não seguir seus conselhos.
Procedimento	*Conseqüências*	*Eficácia*	*Procedimento revisto*
Escrever a introdução antes de qualquer outra seção.	Terei que reescrevê-la inteiramente no final.	Fico adiando o momento de iniciar a introdução porque sei que terei que refazê-la depois.	Anotar as coisas que acho que devem entrar na introdução e deixar para redigi-la no final.
Procedimento	*Conseqüências*	*Eficácia*	*Procedimento revisto*
Fazer muitas anotações em fichas.	Uma enorme pilha de fichas para organizar.	Depois de organizá-las tudo fica mais fácil, pois parece que a redação vai ser uma sopa: é só seguir as fichas.	Nenhum.
Procedimento	*Conseqüências*	*Eficácia*	*Procedimento revisto*
Andar pela sala.	Enquanto isso o trabalho fica parado, e eu fico ainda mais frustrado.	A ansiedade me desmotiva.	Cessar este comportamento imediatamente. Em vez de andar de um lado para o outro, utilizarei uma das técnicas de motivação — dar uma volta ou usar afirmações motivadoras.

Como você pode ver, este gráfico vai lhe mostrar aquilo que o motiva e aquilo que não o motiva; então, revisando seus procedimentos e descartando aqueles que não funcionam, você vai achar mais fácil motivar-se e permanecer motivado. E a motivação adicional que você ganha a cada estágio irá incentivá-lo a completar com sucesso a tarefa por inteiro.

Nesta seção vimos que você, o centro do seu universo, é seu principal motivador; mas às vezes, por maior que seja o seu desejo e por melhores que sejam as suas intenções, você simplesmente não consegue reunir a motivação necessária. Felizmente há outras fontes de onde retirá-la, e a primeira que vamos estudar são as outras pessoas na sua vida.

Amigos, Parentes e Colegas Solidários

Na seção anterior você aprendeu algumas técnicas e atividades muito eficazes para produzir e sustentar a motivação, embora elas às vezes simplesmente não sejam suficientes: você precisará de ajuda externa. Isto ocorre particularmente quando você sofre um grande revés: nada pode ser mais solitário, difícil ou desmotivante do que acreditar que tem que enfrentar sozinho uma situação, sem alguém que o ajude a recuperar o ânimo e dar a volta por cima.

Nesta seção vamos aprender: (1) como criar um conjunto de relacionamentos reciprocamente motivadores, que eu costumo chamar de o Time de Ouro; (2) como retirar desses relacionamentos a motivação de que você precisa; (3) como retribuir.

Como Desenvolver Relacionamentos Reciprocamente Motivadores

Embora você não possa escolher sua família nem os colegas tampouco, em geral pode escolher os amigos, dispondo também de total liberdade para escolher dentre esses três grupos quem você realmente gostaria que fizesse parte do seu time motivador. Algumas pessoas seriam escolhidas porque sempre têm boas idéias para sair de um impasse, outras porque seu incentivo sempre faz você se sentir bem, outras ainda porque você as encontra com freqüência e elas o compreendem.

Tendo sempre em mente, antes que ocorra a crise de motivação, essas pessoas — o seu Time de Ouro —, cuja ajuda você pode convocar, você manterá longe o sentimento de solidão e evitará ter ocasião de pensar: "Não tenho com quem conversar, ninguém para me ajudar", pois esse pensamento negativo só vai servir como mais um empecilho. Todos nós passamos por crises de motivação, que podem ser provocadas por coisas relativamente sem importância, como a rejeição de um projeto no qual você trabalhou durante muitas semanas, ou por coisas importantes, como uma demissão. Estando prevenido, com os botes salva-vidas à mão, você encontrará ajuda não apenas para suportar e ultrapassar o obstáculo, como também para não sentir tanto medo dos retrocessos.

Para desenvolver relacionamentos reciprocamente motivadores você precisa: (1) determinar o que deseja deles, caso contrário não saberá quem você quer no seu time; (2) saber como obter a motivação necessária mantendo o melhor relacionamento possível; (3) saber retribuir, pois se ficar apenas tomando o que precisa o relacionamento não será recíproco, e provavelmente não vai durar muito. Em seguida vamos estudar cada uma dessas áreas.

O Que Procurar

As três características básicas dos seus relacionamentos motivadores deveriam ser: confiança, conveniência e disponibilidade. A confiança é essencial, pois quando pede socorro você está vulnerável e só vai querer revelar sua vulnerabilidade a alguém a quem possa confiar isso, alguém que se importa, que não vai tirar vantagem da situação, que vai respeitar sua confidência e que deseja apenas o seu bem. Além disso, sem confiança você não se sentirá à vontade para exprimir seus pensamentos e sentimentos, portanto não conseguirá obter a ajuda necessária.

A conveniência também é importante, pois se uma pessoa não responde às suas necessidades porque simplesmente não tem condições para isso, ela não poderá ajudá-lo. Sua melhor amiga pode ser uma pessoa fantástica, vocês podem conversar e divertir-se muito, mas ela talvez não seja capaz de incentivar sua motivação porque não é o tipo de pessoa indicada para faze risso.

Além disso, de cada um dos seus relacionamentos motivadores você vai precisar de coisas diferentes — por exemplo, às vezes precisa de alguém que seja um bom ouvinte, que possa realmente escutar o que você está dizendo. Talvez essa pessoa simplesmente responda: "Isto deve ser muito difícil para você" ou algo assim, o que mostra que ela o compreende, importa-se com você e lhe dá a oportunidade de expressar aquilo que o está perturbando.

Outras vezes, você precisa de alguém que lhe dê sugestões concretas de como ir do ponto A ao ponto B; essa pessoa pode ser um colega que entende do assunto e talvez possa ajudá-lo a descobrir como sair da dificuldade. Usando o exemplo do projeto no qual você trabalhou durante semanas e que foi recusado, essa pessoa será capaz de ler o relatório e ver como ele pode ser aperfeiçoado, de modo que você aprenda a fazer melhor da próxima vez, ficando assim com mais disposição para enfrentar outro projeto.

Outras vezes você pode precisar de alguém bastante carinhoso e compreensivo, que lhe cubra de elogios: "Você é inteligente e capaz, tem muita experiência, de modo que, apesar de este projeto ter afundado, você será capaz de se sair bem melhor na próxima vez."

A disponibilidade é uma condição indispensável para que esse tipo de relacionamento se desenvolva, porque a pessoa não poderá ajudá-lo se nunca estiver por perto. Seu irmão, que você adora e a quem você é muito ligado, pode não ser adequado para um relacionamento motivador porque viaja muito, e quando não está viajando está na casa da namorada ou não atende o telefone; não é, portanto, um bom candidato para o seu Time de Ouro.

Lembre-se que esses relacionamentos não são entidades formalmente constituídas. Você não precisa perguntar a Gillian: "Que tal estabelecermos um relacionamento motivador?"; o que você deve fazer é estudar os relacionamentos que já existem, identificando as pessoas a quem você pode recorrer quando sua motivação estiver precisando seriamente de um reforço e fazendo uma lista mental das pessoas a quem você recorreria para cada tipo de necessidade, passando então a considerar essas pessoas a sua rede de segurança.

O Que Pedir

Quando enfrentamos uma crise, com freqüência perdemos nosso senso de perspectiva e nossa capacidade de resolver problemas. Os amigos, parentes e colegas que estão de fora, que não estão totalmente consumidos pela crise, podem ajudar nessas ocasiões.

As crises nos deixam desanimados, e quando estamos desanimados, apesar de toda nossa prática de diálogos internos construtivos e afirmações motivadoras, muitas vezes deixamos o raciocínio distorcido nos dominar: "Sou um fracasso. Jamais vou conseguir sair disso. Nunca mais vão me dar trabalho." Como já aprendemos, esse tipo de pensamento apenas piora a situação. Seu Time de Ouro vai poder ajudá-lo, proporcionando-lhe alguma perspectiva.

Para ajudá-los a fazer isso, você tem que lhes contar exatamente o que aconteceu. Tem que lhes dizer o que pensa da situação e perguntar o que eles pensam.

Vamos tomar o exemplo extremo de uma demissão: sua empresa passou por uma redução de pessoal, seu departamento foi eliminado e você foi despedido. Está se sentindo extremamente desanimado e tem conversado muito com os membros do seu time de motivadores. Eles podem fazer você lembrar como era infeliz no emprego e concluir que essa dispensa talvez possa ter sido uma coisa boa; eles podem salientar que, embora sua empresa tenha fracassado, esse ramo de negócios está indo muito bem e existem muitos empregos em empresas melhores. Provavelmente vão lhe dizer que quem fracassou não foi você, mas a empresa, e que na realidade era sua capacidade que estava ajudando a empresa a não afundar de vez.

Depois de ouvir dos amigos e colegas o modo como eles vêem a situação, chegou a hora de reavaliá-la. Como as crises geram emoções muito fortes, tendemos a sentir que estamos reagindo exageradamente, perdendo o controle; também aqui seu Time de Ouro pode corrigir sua perspectiva. Conte-lhes o que sente: "Sinto uma raiva tão grande que queria que o presidente da empresa tivesse um enfarte. Sinto tanto medo do futuro que acho que vou terminar na fila da sopa dos pobres." Use a expressão "Eu sinto". Depois pergunte aos amigos/parentes/colegas como eles se sentiriam numa situação semelhante. É provável que eles sentissem o mesmo, e isso vai lhe dar a certeza de não estar perdendo o juízo. Além disso, expressar seus sentimentos vai ajudá-lo a entrar em contato com eles, e isso vai lhe possibilitar reduzi-los a um grau controlável.

Muitas vezes as crises são tão abrangentes e desgastantes que tudo que conseguimos enxergar é a desesperança, a impossibilidade de algum dia encontrarmos um meio de sair dela; nossas técnicas de resolução de problemas parecem ter evaporado. Aqui também seus colegas motivadores podem ser preciosos. Explique-lhes todo o dilema, conte-lhe as soluções que porventura lhe ocorreram, peça-lhes sugestões. Não apenas já é motivador o simples fato de estarem tentando ajudá-lo a encontrar soluções, mas também as próprias soluções propostas, porque lhe darão a percepção de que há meios de ultrapassar os obstáculos, uma porta para sair do dilema, e você tem condições de vencer.

Embora você queira o apoio, a ajuda e o incentivo dos membros do seu time, vai precisar mostrar que está pronto e disposto a fazer o mesmo por eles. Em seguida vamos estudar a reciprocidade.

Como Retribuir

A reciprocidade é de maneira geral a base de qualquer relacionamento sólido. Lembre-se que estamos falando de relacionamentos reciprocamente motivadores e já mencionamos que essas pessoas fazem parte de um time; isso significa que você está disposto a ajudá-las da mesma forma que elas a você.

A retribuição não precisa ser sempre na mesma moeda: você pode receber um conselho e retribuir com biscoitos caseiros. O importante é que nenhum dos dois se sinta usado ou manipulado.

Vamos tomar o exemplo da demissão; naturalmente, por estar passando por um período tão perturbador, você está mais em situação de pedir do que de dar — mas há coisas que pode fazer para que as pessoas que o estão ajudando a sair da crise sintam que você também está disposto a ajudá-las. Pergunte-lhes como vão, mostre interesse, dê apoio, ofereça conselhos. Retome assuntos anteriores: "Como foi a reunião com o cliente novo?" Ao mencionar conversas passadas, você mostra que escutou e que se importa.

Mostre aos seus amigos e colegas que você não mantém o relacionamento apenas para ajudar sua motivação; telefone para eles simplesmente para dizer olá, saber como vão; expresse os sentimentos positivos que tem por eles, e não apenas no contexto do apoio que eles lhe dão em termos de motivação — embora isso também precise ser reconhecido.

Quanto mais você e os seus amigos, parentes e colegas buscarem apoio motivador uns nos outros, mais fortes se tornam esses relacionamentos, melhor você compreende como um pode ajudar o outro e terá dado mais um passo para tratar da sua vida profissional com inteligência emocional.

A Inteligência Emocional em Ação

Nunca fui realmente um aluno excelente, embora obtivesse boas notas porque me esforçava muito, estudava o tempo todo. Tinha sempre em mente o propósito de tirar boas notas para poder entrar na universidade que eu escolhesse. Isso foi até a faculdade de medicina — entrei naquela que escolhi.

Foi quando começou o terror: o curso era puxadíssimo, eu não conseguia acompanhar. Sentia-me sobrecarregado. Fiquei realmente deprimido e cheio de dúvidas quanto à minha capacidade: estava começando a achar que, embora ainda quisesse ser médico, talvez não tivesse competência para isso.

O engraçado é que nos testes eu ia muito bem, com notas acima de regulares; mesmo assim tinha a sensação de que não estava conseguindo, e sentia vontade de desistir. Acho que teria mesmo desistido, se não fossem duas pessoas: meu avô e meu tio.

Meu avô, Poppy, era cardiologista. Durante anos tivemos um relacionamento carinhoso e profundo. Durante aqueles primeiros meses eu achei que ele era uma das poucas pessoas com quem eu poderia compartilhar meus sentimentos. Ele escutou e foi solidário — mas acima de tudo ele me apoiou: afirmou que eu ia vencer; disse que a faculdade de medicina era dura, e se essa estava sendo dura demais eu poderia procurar outra, não haveria o menor problema; lembrou-me que quase todos os alunos no primeiro ano se sentem sobrecarregados; disse-me que eu me sairia bem, mas precisaria estudar muito. E que não importava o que eu fizesse, ele estaria ali com a sua rede de segurança. Sabem, o apoio dele me motivou e me ajudou a terminar o curso.

Eu tinha também um tio incrível, George. Ao longo dos anos ele fez eu me sentir confiante, martelando a mensagem: acredite em si mesmo. Ele me fez concentrar-me no meu desempenho real e não nos meus sentimentos sobre esse desempenho. Ressaltava que não apenas eu tinha capacidade para acompanhar o curso mas também que estava mesmo conseguindo acompanhar. Depois de algum tempo, cada vez que eu começava a me sentir sobrecarregado e deprimido, telefonava para tio George em busca de uma dose de motivação. Isso sempre me ajudou. (Kim H., médico)

Em seguida vamos ver outras pessoas que podem ajudá-lo a motivar-se. Elas são fáceis de achar, estão constantemente disponíveis, estão sempre dispostas a ajudar e você não precisa lhes dar coisa alguma em retribuição.

Os Mentores Emocionais

Se você pensar na pessoa que gostaria de ser na sua vida profissional, ou num herói-modelo, essa é a pessoa a ser escolhida para seu mentor emocional. Essa pessoa vai lhe servir de modelo motivador, a quem você recorrerá quando quiser saber: "Que é que meu mentor faria nesta situação? Como o meu mentor reagiria nesta situação?"

Não faz a menor diferença se o seu mentor emocional está vivo ou não, se é real ou fictício; ele ou ela pode ser Nelson Mandela, a Mulher Maravilha, muitos dos personagens vividos por Harrison Ford, Hillary Clinton, Stephen Hawking, a Rainha Elizabeth I, o personagem Pip do livro *Great Expectations*, Michael Jordan, Marie Curie, Henry Ford, Sojourner Truth.

Ao escolher essa pessoa, o primeiro requisito é que ela consiga lhe trazer motivação. Talvez você se imagine como Pip sacudindo a poeira depois de cada tombo e dando a volta por cima; ou pode se perguntar: "Como Hillary Clinton lidaria com um chefe que a menosprezasse numa reunião?", ou dizer: "Sou a Rainha Elizabeth I e não vou deixar a Armada Espanhola ou qualquer outra coisa me impedir de fazer esta tarefa." Pensar no seu mentor emocional deve servir para aumentar sua confiança, seu entusiasmo, sua tenacidade, resistência e otimismo. Eis alguns meios de obter o máximo do seu mentor emocional.

Dicas para Utilizar Eficazmente seu Mentor Emocional

1. Escolha como mentor um indivíduo que seja extraordinariamente motivador para você.
2. Escolha um momento estimulante na vida dessa pessoa e rememore-a com freqüência. Pode ser Stephen Hawking descobrindo suas teorias acerca do buraco negro, ou Marie Curie recebendo o segundo Prêmio Nobel por seu trabalho no rádio, ou Michael Jordan ouvindo o aplauso da multidão, ou a Mulher Maravilha derrotando um inimigo; quando você contar a si próprio a história daquele momento, inclua todos os detalhes possíveis, para poder realmente sentir essa experiência.
3. Evoque seu mentor com freqüência. Quanto mais você evocar seu mentor e reviver um momento inspirador na vida dessa pessoa, mais facilmente seu mentor evocará seus sentimentos motivadores. Imagine-se enclausurado pelo seu emprego, aprisionado por tudo que tem a fazer, incapaz de conseguir sair do atoleiro; então traga à lembrança o momento em que Nelson Mandela foi finalmente libertado da prisão depois de 25 anos de cárcere e imagine a alegria que ele deve ter sentido ao percorrer as ruas de Johannesburgo como um homem livre. Você pode simplesmente pensar: "Nelson Mandela vivia um dia de cada vez, acreditando que iria vencer. Vou executar uma tarefa de cada vez e vou vencer."

Como acontece com todas as reações condicionadas, vai chegar o dia em que você não precisará rememorar a história motivadora; bastará simplesmente dizer o nome do seu mentor, ou fixar na mente a imagem dele, para que sua motivação ganhe novo impulso.

Agora vamos estudar a quarta fonte de motivação — seu ambiente — e aquilo que você pode fazer para torná-lo mais motivador.

Seu Ambiente

Embora a maioria de nós não tenha muito controle sobre seu ambiente de trabalho, existem algumas coisas que podemos fazer para tornar nosso local de trabalho mais estimulante — e às vezes o que isso realmente significa é torná-lo menos desestimulante. As três áreas que vamos estudar são: tornar seu local de trabalho um lugar saudável, rodear-se de objetos que inspirem motivação e organizar seu local de trabalho de modo que ele funcione a seu favor e não contra você.

Torne-o o Mais Saudável e Útil Possível

Assim como sua saúde pode exercer uma influência enorme no seu grau de motivação (pense na sua disposição para o trabalho quando está muito resfriado), o mesmo acontece com seu ambiente — o ar, a iluminação, os sons e objetos que o rodeiam no seu local de trabalho. Para que você possa se sentir totalmente concentrado e produtivo, esses quatro elementos precisam proporcionar-lhe o máximo possível de bem-estar.

Respire Ar Puro

Muitas vezes não notamos quando o ar que respiramos é limpo e fresco, porém logo percebemos quando ele não é. Imagine entrar numa sala de reuniões cheia de fumaça ou na sala de um empregado que trabalha muito, aparentemente se esquece de tomar banho e nunca deixa entrar ar fresco; ou imagine uma reunião que de repente muda de ritmo quando as pessoas começam a bocejar e cochilar — culpa do ar viciado, de falta de oxigênio, embora às vezes o ar possa estar quente demais (e outras vezes, como bem sabemos, pode ser culpa de oradores maçantes).

A OSHA (Occupational Safety and Health Administration — Administração de Segurança e Saúde no Trabalho) exige, em escritórios amplos, sistemas de ventilação adequados que ajudem a circular e purificar o ar, pois hoje em dia muitos prédios de escritórios são hermeticamente fechados. Se você acha que pode haver um problema no sistema de ventilação da sua sala, fale com o departamento de manutenção; se sente que o ar continua viciado ou poluído, pode comprar um purificador de ar pequeno e colocá-lo sobre sua mesa para filtrar as impurezas do ambiente.

Embora hoje em dia seja proibido fumar em muitos escritórios, em outros não é; se você sentir que a fumaça prejudica sua motivação (para não mencionar sua saúde), pode conversar com seu chefe e ver se é possível criar áreas de trabalho livres do cigarro. Se isso não for possível, use um purificador de ar sobre sua mesa.

Se você tem a sorte de dispor de janelas, então abra-as, se seus colegas não se importarem, o tempo permitir e o barulho da rua não interferir. Nada mais revigorante do que uma infusão de ar puro. Tente sair para tomar ar durante os intervalos do trabalho ou, no mínimo, fique parado junto à porta e respire um pouco de ar fresco.

Os odores também influem na motivação. Você provavelmente já percebeu que, quando está num aposento que cheira mal, é quase impossível concentrar-se em qualquer coisa além do cheiro ruim. Por outro lado, provavelmente nunca se deu conta de que um aroma agradável pode influenciá-lo de maneira positiva. Por exemplo: algumas pesquisas mostraram que o aroma de hortelã e de frutas cítricas aumenta os níveis de energia e concentração; dependendo da sua localização em relação aos colegas, você poderia colocar sobre sua mesa uma pequena terrina com folhas de hortelã secas ou cascas de limão secas, ou pôr um pouco de óleo de hortelã ou de uma fruta cítrica num disco próprio para ser colocado sobre uma lâmpada. Se você usar produtos que refrescam o ar, certifique-se de que são naturais e não químicos, pois muita gente tem alergia a produtos químicos encontrados em purificadores de ar.

Atente para os Sons Benéficos, Apague os Sons Prejudiciais

O som é estimulante; escolhendo os sons apropriados e eliminando os sons prejudiciais você poderá aumentar sua energia motivadora. Você já deve ter tido a experiência de um dia péssimo, em que não conseguiu reunir energia, e conseqüentemente seu desempenho foi zero; na hora de ir para casa você entrou no carro e ligou o rádio numa música qualquer; e isso foi como uma dose de adrenalina — você teria conseguido demolir uma pilha de faturas, listas de encomendas ou relatórios. Como muitos de nós trabalham em lugares abertos, não podemos simplesmente ligar um toca-fitas em nossa mesa. Se for este o seu caso, e seu trabalho exigir grande quantidade de tarefas repetitivas para as quais a música seria um estimulante, você poderia pedir ao chefe permissão para escutar música usando fones de ouvido. Naturalmente seria preciso demonstrar ao chefe que assim você seria igualmente eficiente, ou ainda mais.

Se não precisa preocupar-se com vizinhos, então poderia experimentar ouvir o tipo de música que você sabe que o estimula a trabalhar — aquilo que você escuta enquanto faz faxina em casa. Para mim, o que melhor funciona são as canções do tempo dos *Beach Boys* ou *Dion and the Belmonts.*

Alguns detalhes a ter em mente quando escolher a sua música: que não seja "música de elevador", pois ela serve para acalmar e você precisa de algo que o estimule; além disso, a música clássica pode ter diferentes efeitos — por exemplo, pesquisas mostraram que a música de Mozart aumenta a acuidade mental e que a música barroca pode ajudar a aumentar a concentração. Experimente diversos gêneros musicais e descubra o que funciona melhor para você.

Os escritórios estão repletos de todo tipo de barulho; muitos deles simplesmente se transformam em ruídos neutros (ou seja, você deixa de percebê-los conscientemente), outros podem ser profundamente irritantes e desmotivadores. Por exemplo, as obras de reforma no pavimento inferior, um colega na sala ao lado que fala ao telefone o dia inteiro e tem a voz alta demais: você pode tentar usar tampões no ouvido, se seu trabalho não exige que você fale constantemente com outras pessoas. Se seu colega o atrapalha tanto que você simplesmente não consegue ignorá-lo, então você poderia conversar com seu supervisor a respeito de mudar seu local de trabalho. Às vezes é apenas uma questão de adaptação a ruídos novos e irritantes; tente relaxar respirando profundamente e pratique as técnicas que aprendeu para não ficar ressentido ou frustrado.

A Inteligência Emocional em Ação

Uma vez por semana minha equipe de seis pessoas tem que passar pelo menos duas horas fazendo trabalho burocrático, que todos odeiam. Não se trata de um trabalho difícil, apenas enfadonho. Num desses dias um membro da equipe perguntou se alguém se importaria se ele ligasse seu toca-fitas portátil; ninguém fez objeção e assim a música começou. Percebi que as pessoas estavam gostando e, na verdade, terminaram o trabalho 20 minutos antes do previsto.

Agora tenho um poderoso aparelho de som no escritório e posso garantir que ouvir música em diferentes momentos do dia torna a equipe mais entusiasmada e produtiva. (Jonette A., gerente de vendas)

Tire Partido da Luz

Em 1982 o Dr. Al Lewy, da Universidade de Oregon, e Norman Rosenthal, do Instituto Nacional de Saúde Mental, fizeram uma série de pesquisas que demonstraram que a iluminação pode afetar a motivação. Eles examinaram um número grande de pessoas que ficavam deprimidas durante os meses de inverno e concluíram que isso se devia à falta de raios ultravioletas no lobo occipital do cérebro. Essa síndrome, denominada Distúrbio Emotivo Sazonal (em inglês, SAD — Seasonal Affective Disorder), é facilmente curada: basta ficar sob uma lâmpada ultravioleta.

Ora, algumas pessoas dispõem de janelas na sala de trabalho. Tire partido da luz natural sempre que puder. As pessoas costumam fechar as persianas ou as cortinas porque às vezes a luz incomoda ao bater sobre a mesa de trabalho, mas se esquecem de abri-las depois, perdendo assim o efeito estimulante dos raios UV.

Portanto, se você dispuser de luz natural, deixe-a entrar nos momentos em que ela não irá incomodá-lo; se não houver luz natural, você pode instalar uma lâmpada ultravioleta na luminária da mesa — ou, se só houver luminária no teto, peça permissão para instalar ali uma lâmpada ultravioleta. Não deixe de explicar a razão do pedido.

As cores também têm relação com a luz: enxergamos as diferentes cores por causa dos diferentes comprimentos dos raios de luz que atingem nossa retina. E as cores também afetam nossa motivação; imagine qual seria sua disposição para trabalhar numa sala de paredes pretas. Pesquisas mostraram que certas cores nos afetam de maneiras diferentes. O vermelho, por exemplo, eleva nossos batimentos cardíacos e pressão sangüínea, enquanto o verde tende a nos acalmar. Mesmo que cada um de nós responda de forma diferente a uma certa cor, freqüentemente como resultado de associações da infância, muitas pessoas acreditam que o amarelo incentiva a criatividade e a comunicação; o verde intensifica a concentração; o vermelho dá energia. Experimente e veja o que funciona melhor para você. Talvez não seja possível pintar as paredes da sua sala na cor de sua escolha, mas você poderia pendurar nelas alguns ornamentos que deseja ter à sua volta. Esta é outra maneira de tornar nosso ambiente mais estimulante.

Rodeie-se de Objetos Estimulantes

Assim como uma imagem do seu prato favorito pode lhe dar água na boca, uma imagem do seu mentor emocional ou uma frase inspiradora podem elevar o seu grau de motivação. Assim, rodeie-se de fotos, recortes de revistas, provérbios inspiradores ou frases que o motivem — uma foto da sua filha ganhando o troféu de artes marciais e outras: você pegando um peixe de cinco metros, Martin Luther King Jr. dizendo "Eu tenho um sonho", seu político predileto vencendo a eleição, Harrison Ford como Indiana Jones — qualquer coisa que possa lhe dar motivação, mesmo que seja em pequenas doses.

Outra maneira de tornar estimulante seu local de trabalho é usar lembretes e códigos visuais. Os bloquinhos de folhas com uma borda adesiva são ótimos para isso: "Ligar para Ellen na Hampton Pharmaceuticals", "Fazer esboço do relatório", "Reunir os fotogramas para a apresentação". Os lembretes nos ajudam a ficar concentrados no que precisamos fazer. É melhor separar tarefa por tarefa ("Redigir o esboço", "Reunir os fotogramas") em vez de mencionar o trabalho inteiro ("Redigir o relatório", "Fazer a apresentação"); desse modo você vai ter a sensação de estar progredindo cada vez que jogar fora um dos papeizinhos de lembrete depois de terminar a tarefa. É claro que você terá que colocar outro lembrete para a tarefa seguinte ("Redigir a primeira parte do relatório"), mas não vai correr o risco de ficar deprimido vendo o mesmo lembrete no mesmo lugar durante vários dias.

Organize seu Local de Trabalho para que ele o Ajude em vez de Atrapalhar

Todos nós provavelmente já vivemos a experiência de tentar trabalhar num projeto e ficar de mãos atadas por não conseguir localizar os documentos indispensáveis, ou porque os números de telefone necessários foram anotados em pedaços de papel de paradeiro desconhecido, ou ainda porque falta espaço na mesa; só terá sido possível iniciar esse projeto depois que a escrivaninha tenha sido arrumada, os papéis tenham sido localizados e devidamente organizados, os números de telefone encontrados e transcritos numa lista única.

O incentivo para cumprir determinada tarefa pode ser facilmente erodido se o seu local de trabalho não estiver organizado de maneira prática e acessível. Conheci um representante de vendas que muitas vezes deixava de dar continuidade ao seu trabalho de rua porque não se esforçava em procurar em sua sala a informação necessária para isso; conheci uma secretária que não conseguia manter o arquivo em dia — ela não gostava de ter que ir até a sala onde ficava o arquivo.

Não importa o que quer que seja necessário fazer para organizar seu local de trabalho de modo que ele aumente sua motivação em vez de abatê-la, valerá a pena todo o tempo e esforço que isso possa exigir.

Neste capítulo aprendemos até agora como utilizar as quatro fontes de motivação: você mesmo; os amigos, parentes, colegas; os mentores emocionais; seu ambiente. Em cada seção vimos exemplos de diferentes retrocessos, desde a rejeição de uma proposta até a perda do emprego. Na próxima seção vamos estudar como enfrentar e vencer os retrocessos.

Como Enfrentar Retrocessos e Criar Retomadas

É ponto pacífico que todos nós algum dia sofreremos um retrocesso na vida profissional; a pessoa emocionalmente inteligente não apenas sabe enfrentar e ultrapassar um retrocesso mas também aprender com ele. Nesta seção vamos estudar de que maneira os retrocessos nos afetam e como progredir do retrocesso à retomada.

Como os Retrocessos nos Afetam

Um retrocesso é um desvio de curso, um passo para trás. Já mencionamos alguns acontecimentos que podem provocar um retrocesso: uma avaliação de desempenho desfavorável, o cancelamento de um projeto, a recusa de uma promoção, a perda do emprego — você vai indo aparentemente muito bem, seguindo um determinado curso, e de repente lhe dizem, às vezes provocando em você um grande choque: "Seu desempenho não está sendo como deveria ser" ou "Seu projeto jamais irá decolar" ou "A promoção foi para outra pessoa" ou "Seu departamento vai ser extinto".

Seu dinamismo freia de repente, a motivação vai para o fundo do poço, sua auto-estima desaba no chão. E você provavelmente sente todas as emoções negativas possíveis: raiva, depressão, medo, ansiedade. Dependendo da severidade do retrocesso, a experiência pode afetar outras áreas da sua vida — a família, as amizades, as atividades extraprofissionais.

As pessoas reagem aos retrocessos de diversas maneiras. Ao perder um cliente importante, um representante de vendas fica arrasado e não consegue desincumbir-se de seus outros clientes; outro na mesma situação pendura-se ao telefone e consegue dois clientes novos. Uma pessoa começa a beber por ter perdido o emprego, ao passo que outra acaba mudando totalmente de profissão ao encontrar algo mais gratificante. O que diferencia aqueles que enfrentam bem os retrocessos daqueles que não são capazes disso é a resiliência — a capacidade de voltar ao tamanho normal depois de esticado ou de endireitar-se depois de ter sido curvado. E o que faz uma pessoa ser mais resiliente que outra não é um gene da resiliência e sim a capacidade de processar e usar de maneira produtiva as emoções provocadas pela experiência do retrocesso.

A boa notícia é que nos capítulos sobre a autoconsciência e o controle das emoções, assim como neste capítulo, você já aprendeu muitas das ferramentas e das técnicas para fazer exatamente isso. Gosto de pensar nessas coisas como o "Kit de Ferramentas para o Processo de Retomada". Ele consiste em:

- Atentar para seus sentimentos e suas interpretações
- Usar afirmações motivadoras e diálogos internos construtivos
- Manter o senso de humor
- Praticar o relaxamento
- Praticar atividades físicas
- Usar técnicas de resolução de problemas
- Recorrer ao seu time de apoio
- Reavaliar suas metas e estabelecer novas

Na próxima seção veremos como você pode usar essas ferramentas ao passar pelo processo emocional que o conduzirá do retrocesso à retomada.

Do Retrocesso à Retomada: Como Ultrapassar os Estágios

Em geral um retrocesso é sentido como uma perda: você perdeu o rumo, a motivação, a confiança, a auto-estima e o entusiasmo — e pode ter perdido alguma coisa mais concreta também, como uma promoção, um aumento de salário, a aprovação de um projeto, até mesmo o emprego. Embora a presteza com que se vence um retrocesso e os meios de fazer isso sejam peculiares a cada pessoa, os estágios desse processo são comuns a todos. São eles: a descrença, a raiva, a vontade de voltar no tempo, a depressão, a aceitação, a esperança e a atividade positiva. Abaixo vamos estudá-los com mais detalhes; o que nesse momento desejo ressaltar é a necessidade de vivenciar, enfrentar e ultrapassar um estágio de cada vez; se fracassar, você vai ficar preso num determinado estágio, impossibilitado de aproximar-se da retomada.

O processo de ultrapassar os diferentes estágios é altamente fluido; às vezes você pode vencer vários estágios ao mesmo tempo, outras vezes alterna entre dois deles e às vezes volta a um estágio já ultrapassado. Não há uma maneira única de levar a cabo esse processo; a única exigência é de que você ultrapasse inteiramente cada um deles.

Estudando os diferentes estágios aprenderemos a identificá-los e conheceremos as ferramentas e as técnicas que podemos usar para progredir de um estágio a outro.

Estágio 1: Descrença

Seu melhor projeto foi cancelado e você com certeza fica repetindo: "Isto não pode estar acontecendo comigo", "Não consigo acreditar". A descrença, que é o primeiro estágio de um retrocesso, tem uma função importante: ela age como amortecedor entre o choque de saber que ocorreu uma crise e a torrente de emoções violentas que certamente acompanharão tal descoberta. Ao negar que a crise aconteceu, o que você está fazendo basicamente é dando a si mesmo uma trégua para respirar. É claro que se essa negação persistir você não conseguirá passar para outro estágio, mas um breve período de negação pode ser bastante benéfico.

Você com certeza estará também dizendo a si mesmo coisas do tipo "É o fim da minha carreira aqui. Nunca mais vou conseguir aprovar um projeto ou arranjar emprego em qualquer outro lugar. Todos vão pensar que sou burro demais". São exemplos de um raciocínio distorcido que, como já vimos, não apenas aumenta a probabilidade de você fazer avaliações incorretas como também age como um poderoso desmotivador. Assim, quando você passar por um retrocesso é importante usar a técnica da autoconsciência de fazer avaliações corretas. Isso lhe permitirá encarar realisticamente o retrocesso, o que por sua vez vai ajudar a manter seu sistema emocional atento à realidade da situação.

A outra técnica da autoconsciência a ser usada aqui é entrar em contato com seus sentimentos; a descrença e a negação são ótimas no início, mas você precisa ir ao encontro dos seus sentimentos para poder aprender com eles e seguir em frente. Por causa da intensidade das emoções negativas que você provavelmente sentirá durante um retrocesso — principalmente nos primeiros estágios —, muitas vezes é grande a tentação de não enfrentá-las. Mas um dos postulados da inteligência emocional é que precisamos estar abertos aos sentimentos negativos na mesma medida dos positivos.

A técnica da inteligência emocional que você pode usar nesse caso é a chamada "negação positiva"; como a descrença, ela permite adiar o confronto com a sua situação. Vamos usar o exemplo da sua empresa estar sendo enxugada, com muitas pessoas sendo demitidas — inclusive seu chefe, mas não você — e seu departamento sendo incorporado a outro. Sua avaliação pode ser mais ou menos assim: "Vou ter que trabalhar duas vezes mais que antes, porque metade das pessoas que faziam o trabalho foram embora. A nova chefe dará prioridade à sua antiga equipe, e para mim vai ser como recomeçar do princípio. Tenho certeza que não vou durar muito aqui". Quando esses pensamentos se tornam negativos demais, diga a si mesmo: "Sei que terei que enfrentar isso, mas vou deixar para mais tarde."

O que você estará fazendo com isso é dando algum tempo para reorganizar e controlar suas emoções; ao mesmo tempo você reconhece que tem que enfrentar a situação, mas não precisa ser naquele momento. Enfrentando-a aos poucos, em pequenas porções facilmente controláveis, você conseguirá pensar na situação sem se perturbar. Em última análise, você estará aumentando sua inteligência emocional, pois estará desenvolvendo e reforçando sua capacidade de experimentar sentimentos negativos sem se deixar dominar por eles.

Reconhecer aos poucos a realidade do retrocesso e os sentimentos que o acompanham e então avaliar corretamente a situação são os primeiros passos produtivos no caminho da retomada.

Estágio 2: Raiva

Você começou a tomar pé na realidade da situação, mas está começando a dizer coisas como: "É muito injusto. Cometeram um grande erro. Detesto o modo como eles fazem as coisas." Isto é o início de um círculo vicioso de ressentimento que se nutre de si próprio e faz você se sentir muito pior. Você se queixa, sente-se amargurado e muitas vezes afasta as outras pessoas exatamente quando precisa do apoio delas.

O que você deve fazer em primeiro lugar é lançar mão das técnicas de controle das emoções aprendidas no último capítulo. Elas abrangem tudo, desde os diálogos internos construtivos até o relaxamento. Para baixar seu nível de excitação e evitar explosões emocionais você poderia iniciar alguma atividade física, podendo também escrever uma carta zombeteira para o presidente da companhia expondo sua opinião de que a reorganização que ele fez foi a pior idéia que você já viu. (Não mande a carta, é claro.)

Como a raiva é um indício de que alguma coisa está errada, você precisará examinar a situação para descobrir o que há de errado e para onde você quer se encaminhar. Nesse processo você provavelmente vai reavaliar seus objetivos e suas prioridades, e isso vai ajudá-lo a retomar o curso ou procurar uma nova direção.

No caso do seu departamento ter sido incorporado a outro, você talvez constate que o que há de errado é o novo organograma; no entanto, você ainda tem por perto algumas pessoas com quem trabalhou por vários anos e a quem você respeita, e ouviu dizer que a gerente do seu novo departamento é uma pessoa bastante razoável. Antes sua meta era continuar sendo promovido em seu departamento; isso não será mais possível, porque agora há muitas outras pessoas na fila de promoção. Pois bem: alguns anos atrás você andou pensando em transferir-se para outra área da empresa, e talvez agora possa explorar essa possibilidade. Desse modo, a raiva ajudou-o a determinar o que estava errado na situação, o que você podia e o que não podia tolerar, e que nova direção poderia tomar.

Estágio 3: Desejo de Voltar no Tempo

Apesar da sua reavaliação, você ainda deseja que as coisas fossem como antes: se o estúpido do presidente não tivesse tomado a decisão estúpida de fundir os dois departamentos você estaria feliz como um pássaro, de volta à sua antiga sala e ao seu antigo chefe. Esse estágio é um pouco parecido com o estágio da descrença, pois também serve de amortecedor no confronto com a experiência desagradável. Essa nostalgia dos bons tempos de antes do retrocesso ajuda você a se sentir bem, porque está revivendo aquela época.

Mas se ficar por muito tempo preso a esse sentimento irá reverter para o estágio anterior e sentir muita raiva por esses dias terem passado.

O modo eficaz de lidar com esse estágio é reconhecer que você realmente gostaria de voltar ao tempo de antes da grande mudança, mas isso não é possível; aí você se pergunta: "Então, que é que eu vou fazer agora? Como posso retomar uma rota de progresso?", e a resposta é: você tem que tomar algumas atitudes produtivas — informar-se sobre aquele outro departamento para o qual você já tinha pensado em pedir transferência, ou perguntar à gerente do novo departamento quais as modificações que ela pretende introduzir e como você poderia ajustar-se a elas. O essencial é começar logo a estudar as atitudes realistas e práticas que você pode tomar.

Estágio 4: Depressão

Pode ser avassalador você ter que assumir uma atitude produtiva quando está se sentindo mal consigo mesmo e receoso de tomar qualquer decisão. Como é que você vai conseguir reunir a energia e a confiança necessárias para conversar com sua nova chefe e aprender sobre o novo departamento? Só de pensar nisso você tem vontade de ficar na cama com a cabeça enfiada debaixo das cobertas — e é exatamente o que muitas pessoas fazem quando estão deprimidas. Outras têm dificuldades em dormir, de modo que passam o dia inteiro exaustas. Outras evitam os amigos, preferindo sofrer sozinhas.

Este estágio é o maior obstáculo no caminho para a retomada, porque os pensamentos e sentimentos depressivos juntam-se para criar a sensação de apatia e desesperança — você se sente inteiramente debilitado e incapaz de fazer qualquer coisa. Mas o fato encorajador deste estágio é que ele é um ponto decisivo; uma vez o tendo ultrapassado, você terá avançado no caminho para a retomada.

Também as técnicas para atravessar este estágio são conhecidas: recorra aos amigos, parentes e colegas em busca de incentivo, conselhos e ajuda na prática da resolução de problemas; utilize as afirmações motivadoras; rodeie-se de pessoas otimistas e evite a companhia de pessoas tristes — alguns dos outros membros do seu departamento, por exemplo; escreva um diário de sentimentos, pois é muito importante estar totalmente consciente dos seus sentimentos de depressão. Como aprendemos no capítulo anterior, ter consciência dos seus sentimentos ajuda a controlá-los.

Ao ultrapassar este estágio você reconhece que teve um retrocesso e que sofreu uma perda — já não nega o fato através da descrença ou da vontade de voltar no tempo; você vivenciou o retrocesso, decidiu tomar atitudes positivas e está pronto para seguir em frente.

Estágio 5: Aceitação

Neste estágio sua confiança está começando a voltar, pois você sabe que já suportou o pior da situação. Grande parte da raiva e da depressão já ficaram para trás (mas lembre-se que você pode reverter a estágios anteriores ou alternar entre um e outro) e a motivação começa a retornar. Você aceita que sua antiga situação profissional já não existe e que terá que enfrentar uma situação nova.

Neste estágio será preciso concentrar-se nas suas metas e nos seus desejos, e planejar uma estratégia para realizá-los. Use sua autoconsciência expandida para entrar em contato com seus desejos: se o que deseja é subir sempre na empresa e não há esperança disso no departamento unificado, então sua meta pode ser encontrar um posto em outro departamento, conforme você já havia pensado. Controle seu entusiasmo recém-encontrado mantendo-o dirigido à sua meta.

Estágio 6: Esperança

O otimismo retorna. Você tem em mente uma meta importante, sabe os passos a dar para chegar lá e está ao mesmo tempo esperançoso e razoavelmente confiante no sucesso. A excitação provocada pela esperança irá levá-lo ao próximo estágio.

Estágio 7: Atividade Positiva

Você finalmente toma atitudes que o estão levando de volta ao rumo certo; sente-se fortalecido, encorajado e pronto para fazer o que for preciso para seguir a nova rota. Numa palavra: sua motivação está quase toda de volta. Você marcou uma conversa com o chefe do outro departamento, falou com pessoas desse departamento para descobrir que tal é trabalhar ali, aconselhou-se com o seu time de motivadores; para garantir que vai manter a motivação você divide as tarefas em minitarefas, monitora seu comportamento de vez em quando e usa as técnicas de resolução de problemas para gerar reações novas e eficazes a qualquer dificuldade que possa encontrar.

Estes sete estágios talvez não sejam importantes para alguma coisa que você está experimentando no momento, porém é muito útil saber de antemão que existem estágios previsíveis no processo de progredir do retrocesso à retomada, que existem técnicas — que você já aprendeu — para ajudá-lo a ultrapassar cada um deles e que usando essas técnicas você poderá vencer qualquer retrocesso. Esse conhecimento por si só pode ser um fator de motivação.

A Inteligência Emocional em Ação

O maior retrocesso que já tive foi ter passado mais de seis meses coordenando um projeto de alcance internacional e ver o projeto ser entregue a outra pessoa. Foi um golpe avassalador.

Parece que o presidente da companhia achou que eu não tinha capacidade para dirigir um projeto daquela magnitude, que cobriria três continentes. É claro que eu tinha! Eu mesma havia montado o projeto a partir da estaca zero!

Quando recebi a notícia, fiquei atônita. Lembro-me de estar sentada em minha sala, sem conseguir acreditar. Eu acabara de completar 30 anos e até aquele momento era um foguete em plena ascensão; de repente eu me sentia imobilizada.

As semanas seguintes foram muito ruins. Eu sentia vergonha, achando que de um momento para outro havia me tornado uma fracassada. Deixei de ser produtiva e de me aproximar dos outros. Um dia eu estava com a minha secretária na sala de expedição quando ela declarou que lamentava pelo projeto, mas tinha certeza que haveria outros. Comecei a expor-lhe os meus sentimentos e ela se mostrou muito solidária; argumentou que mesmo que eu tivesse sofrido uma decepção, ter colocado o projeto em ação não deixava de ser uma façanha, e que eu iria receber o crédito por isso.

Dias depois, um amigo do departamento de publicidade telefonou-me para saber o que acontecera; expliquei que eu ficara sabendo que o presidente me considerava jovem demais para tomar conta do projeto e temia que os empresários estrangeiros, bem mais velhos, se sentissem constrangidos comigo. Comentei que achava que tinha sido uma decisão política, pois a pessoa que ficou com o projeto não era muito mais velha que eu. "Talvez tenha sido, mas você pode tirar disso o melhor proveito possível", respondeu meu amigo.

O conselho dele possuía fundamento; mesmo que fosse uma questão política, minha melhor jogada seria ir em frente, conseguir alguns sucessos, não chafurdar na autopiedade. Percebi que tinha muitas coisas a meu favor e conhecia o caminho do sucesso, no entanto não estava mais conseguindo triunfar.

Nos dias seguintes comecei a me sentir melhor. Estabeleci novas metas, coloquei algumas coisas em andamento. Confiei algumas idéias à minha secretária e ao meu amigo da publicidade; eles se mostraram entusiasmados e cheios de incentivo e boas sugestões.

Poucas semanas depois recebi sinal verde para um projeto muito grande. E mesmo não o tendo concluído, sei que terei outras idéias. (Charlene D., profissional de *marketing* de uma editora)

Como Reunir Todas as Técnicas de Motivação

Neste capítulo estudamos os retrocessos essencialmente num contexto de grandes crises — a perda do emprego, um projeto cancelado. Mas vimos também que qualquer atividade ou situação desmotivadora pode causar um retrocesso, pois o tira do curso, ainda que por pouco tempo: um ambiente com ar viciado, a incapacidade de aprontar as faturas, uma repreensão do chefe, um projeto difícil, o excesso de trabalho.

O curioso dos retrocessos é que eles destroem justamente aquilo que é preciso ter para vencê-los: a motivação. No entanto, isso não constitui um dilema insolúvel, pois neste capítulo você aprendeu como se motivar; se um retrocesso lhe tirar a motivação, você revê e coloca em prática tudo que aprendeu: mobilizar pensamentos, atitudes e ações para reforçar e/ou restaurar sua confiança e seu entusiasmo; procurar ajuda de amigos, parentes e colegas solidários para corrigir sua percepção e conseguir ajuda na prática da resolução de problemas; evocar seu mentor emocional quando estiver precisando de uma dose de inspiração e otimismo; tornar seu ambiente de trabalho mais propício à produtividade e à tenacidade e, nas situações mais graves, percorrer os sete estágios do processo que vai do retrocesso até a retomada, a fim de recuperar sua resiliência.

Estudamos as três maneiras de expandir e aplicar sua inteligência emocional: motivar-se, expandir a autoconsciência e controlar as emoções. Como o enfoque deste livro é o uso da inteligência emocional no local de trabalho, na Parte Dois vamos ver como sua inteligência emocional pode contribuir para você ter as melhores relações possíveis com seus colegas, supervisores, clientes, vendedores e qualquer outra pessoa com quem tenha que lidar ao longo de um dia de trabalho.

Parte Dois

Como Usar sua Inteligência Emocional nas Relações com as Outras Pessoas

Pense no grande número de interações com outras pessoas que você tem durante o seu dia de trabalho — com o colega da sala ao lado, com as pessoas que trabalham na expedição, com seu chefe, com os membros do seu grupo de trabalho, com clientes, fregueses, vendedores. Essas interações podem exigir que você saiba negociar (para que seu pacote siga no malote embora você o tenha entregue depois da hora marcada, para que seu chefe aprove sua presença numa reunião), que saiba vender (uma proposta para seu grupo de trabalho, sua capacidade de lidar com o cliente), que saiba dar ordens (ao seu grupo, aos seus subordinados), que saiba liderar (os colegas que trabalham no seu projeto, seus clientes), que saiba resolver conflitos (com um vendedor, com membros do seu grupo de trabalho) e que saiba montar uma equipe (seu grupo, seus clientes).

Aquilo que faz com que esses relacionamentos e interações sejam bem-sucedidos e beneficiem todos os envolvidos — inclusive você — é a inteligência emocional; a maneira de colocar sua inteligência emocional em ação é reconhecer e reagir às emoções e aos sentimentos dos outros, orientando-os para a resolução produtiva de uma situação problemática e utilizando-os para ajudar os outros a ajudar a si mesmos. É óbvio que a capacidade de fazer tudo isso beneficia sua posição na sua empresa — não apenas você produz mais, pois encontra consenso e cooperação, como também os outros passam a considerá-lo indispensável na equipe, seja em que função for.

Na Parte Um você aprendeu a expandir sua inteligência emocional no nível intrapessoal — desenvolvendo a autoconsciência, controlando suas emoções e adquirindo motivação; agora vamos aplicar todas essas técnicas na busca de relações interpessoais eficazes no seu trabalho. Vamos estudar como desenvolver técnicas de comunicação, destreza interpessoal e capacidade de agir como mentor emocional. E, finalmente, veremos como uma empresa cujos empregados se relacionam bem pode se tornar uma organização emocionalmente inteligente.

4

Como Desenvolver Técnicas de Comunicação Eficazes

A base de qualquer relacionamento é a comunicação. Sem comunicação — seja ela por mímica, linguagem corporal, *e-mail* ou uma conversa cara a cara — não existe contato, portanto não existe relacionamento.

As técnicas de comunicação são de importância fundamental para sua inteligência emocional, e seu valor no local de trabalho é incalculável — imagine tentar resolver um conflito entre dois funcionários, ou explicar ao chefe que você se sente afetado pela raiva dele, se você não consegue se comunicar bem. No primeiro exemplo você poderia até irritar mais ainda um dos dois funcionários, ao ouvir apenas o lado do outro; no segundo exemplo você poderia acabar sendo demitido porque seus comentários para com o chefe foram tomados como arrogância e insubordinação.

Neste capítulo vamos estudar as técnicas que lhe permitirão comunicar-se eficaz e produtivamente, de modo a assegurar que casos como os exemplos acima tenham as maiores chances de um desfecho positivo. As técnicas que vamos explorar são:

- A Auto-revelação — revelar o que você pensa, sente, deseja.
- A Positividade — defender suas opiniões, idéias, crenças e necessidades, e ao mesmo tempo respeitar as dos outros.
- A Escuta Dinâmica — ouvir o que a outra pessoa está realmente dizendo.
- A Crítica — expor construtivamente suas idéias e sentimentos em relação a idéias e atos de outrem.
- A Comunicação de Equipe — saber comunicar-se numa situação de grupo.

O elemento que conduz cada uma dessas técnicas e ajuda a garantir sua eficácia é a sensibilidade. Portanto, antes de estudarmos a fundo essas técnicas, precisamos examinar o papel primordial que a sensibilidade desempenha numa comunicação eficaz.

É Essencial Usar a Sensibilidade

No primeiro capítulo você aprendeu que para expandir a inteligência emocional é preciso desenvolver a autoconsciência; isto significa examinar a maneira como você faz avaliações, atentar para seus sentidos, entrar em contato com seus sentimentos, identificar suas intenções e prestar atenção em suas atitudes. Muitas das técnicas aprendidas com esse fim serão aplicadas aqui, com a diferença de que você vai orientar sua consciência para o exterior, em direção a outras pessoas — vai se tornar sensível às outras pessoas, pois a sensibilidade é outro princípio da inteligência emocional. Quando você usa sua inteligência emocional para se comunicar, atenta para o efeito daquilo que você está comunicando sobre os sentimentos, os pensamentos e as atitudes alheios e ajusta a eles sua comunicação; então sua sensibilidade se torna uma técnica.

Suponhamos que você precise conversar com seu chefe sobre o comentário que ele fez durante a reunião classificando sua proposta de "idéia disparatada", mas sabe por experiência própria que ele tem o ego bastante inflado; você certamente não vai querer arriscar-se a ferir o ego do seu chefe ressaltando as falhas de caráter que poderiam tê-lo levado a fazer tal comentário; a consciência que você tem das atitudes dele irá em primeiro lugar fazer você perceber que ele tem o ego agigantado, de modo que você provavelmente iniciaria a conversa massageando esse ego: "Richard, fico muito impressionado com sua atitude sempre calma e racional durante as reuniões"; depois você aos poucos aborda o problema: "Não sei se você se deu conta, mas na reunião de ontem você parecia estar muito zangado quando disse que minha idéia era disparatada. Foi alguma coisa que eu disse que o irritou? Eu me senti muito mal, julgando que tinha feito alguma coisa errada."

O uso da sensibilidade nessa ocasião levará você a verificar, depois de cada frase, o modo como Richard está ouvindo suas palavras. Ele aparenta estar ficando irritado? Se estiver, você pode recuar um pouco, até mesmo perguntando: "Será que esta não é uma boa ocasião para falarmos sobre isso?" Assim você mostrará sensibilidade quanto aos sentimentos de Richard. Sabendo que você tem consciência dos sentimentos dele e de como respeitá-los, ele vai se sentir seguro em conversar com você, e isso vai possibilitar um diálogo muito mais proveitoso.

Um modo de aprender a ter sensibilidade é perguntar a si mesmo: "Como eu reagiria no lugar dele? Qual seria a melhor maneira de dizer isso a mim mesmo?" No exemplo que estamos estudando, você poderia se perguntar: "Como é que eu gostaria que me falassem a respeito de um comentário meu? Qual seria a maneira menos dolorosa de falar a mim mesmo sobre isso?" As respostas deverão ajudar a formar sua própria estratégia de uso da sensibilidade numa situação delicada. Este é um exemplo do emprego dos elementos da sua inteligência emocional: utilizar a emoção para facilitar o pensamento. Outro modo, embora problemático, de você aprender a ter sensibilidade é o método tentativa/erro: se você dissesse a Richard: "Seu comentário foi inoportuno e indelicado" e ele gritasse de volta "Este seu comentário, sim, é que é inoportuno e indelicado", seria de presumir que você reconheceria que talvez não tivesse sido suficientemente sensível, e aprenderia com essa experiência.

Ao estudarmos as cinco técnicas de comunicação interpessoal, veremos como o uso da sua sensibilidade quanto aos sentimentos de outrem pode tornar mais proveitosa sua interação com essa pessoa.

A Auto-revelação

A comunicação envolve um diálogo, uma troca: você tentando compreender a outra pessoa e a outra pessoa tentando compreender você — e ambos tentando se fazer entender. Às vezes a melhor maneira de colocar esse processo em andamento é expressar claramente o que você está pensando, sentindo e acreditando. O termo da língua inglesa usado para definir isso é *self-disclosure*, que significa "auto-revelar-se" e não tem equivalente em português, sendo "auto-revelação" sua tradução literal. Não é surpreendente que em geral as afirmações auto-reveladoras comecem com "Eu penso", "Eu sinto", "Eu acredito": "Eu penso que esta proposta tem méritos", "Eu me sinto confuso com a reação que ela está tendo", "Eu acredito que a melhor maneira de abordar este assunto com os outros é redigir um memorando preliminar".

Não é preciso ser doutor em gerenciamento de empresas para reconhecer que revelar pensamentos, idéias e sentimentos no ambiente de trabalho pode às vezes ser uma experiência assustadora: tememos que nossa idéia possa ser menosprezada, que nosso raciocínio possa revelar falta de conhecimento, que nosso sentimento possa sugerir fraqueza de caráter. Sem dúvida a auto-revelação envolve um certo risco. Acontece que não estou recomendando a auto-revelação abrangente, mas a auto-revelação estratégica: você escolherá cuidadosamente aquilo que deseja revelar, quando e como revelá-lo; e levará em conta tanto a natureza do seu relacionamento com a pessoa com quem está sendo franco quanto a importância da informação que você está passando. Como veremos, fazendo assim você minimiza os riscos e maximiza os benefícios.

Nas seções abaixo vamos estudar seis maneiras de aprender a usar com confiança as afirmações auto-reveladoras. São elas:

- Compreenda que as afirmações são Suas
- Faça afirmações sensoriais
- Use afirmações interpretativas
- Faça afirmações de sentimentos
- Use afirmações de intenção
- Faça afirmações de atos

Compreenda que as Afirmações São suas

Essencial para o emprego da auto-revelação é a compreensão de que certas experiências levaram você a ter seus pensamentos, suas idéias e seus sentimentos, portanto eles são seus e só seus. Compreendendo isto, você não apenas lhes dá legitimidade ao reconhecer que eles são baseados em alguma coisa concreta e pessoal (sua própria experiência), como também admite que cada pessoa tenha seus próprios pensamentos, idéias e sentimentos baseados na sua própria experiência, portanto válidos para ela.

Suponhamos que numa reunião para discutir a produtividade dos funcionários você diga: "Seria bom para o departamento se tivéssemos alguns computadores novos." Não ficou claro se você quis dizer "Penso que a produtividade no departamento cresceria se tivéssemos novos computadores" ou "Sinto que conseguiria trabalhar muito melhor se tivesse uma máquina mais rápida", ou alguma coisa totalmente diferente. Isso irá também sugerir aos outros que você não tem uma posição real a respeito do assunto e nenhuma base para fazer a afirmação que fez. Por outro lado, as duas últimas afirmações revelariam claramente seu pensamento a respeito de aumentar a produtividade do departamento ou a sua própria; elas não deixam espaço para qualquer confusão a respeito de sua posição, e sugerem que suas afirmações baseiam-se em conhecimento anterior ou na experiência. Ao mesmo tempo deixam a porta aberta para que outros expressem seus pensamentos e idéias sobre o assunto — algo que sua afirmação original não permitia.

Suponhamos que você faça essa afirmação de outra maneira: "Todos acreditam que a produtividade baixou porque temos computadores lentos demais"; você provavelmente irritaria os colegas por não levar em conta a possibilidade de que alguém possa discordar, e também por negar aos outros a oportunidade de exprimir seus pensamentos. Além disso, você coloca em dúvida sua credibilidade: como pode saber em que as outras pessoas acreditam? Em que se baseia essa afirmação?

Quando você reconhece que suas afirmações são suas, está, essencialmente, dizendo a si mesmo que elas são válidas. Isso lhe permitirá fazer suas afirmações com confiança, assumindo uma posição forte. Você vai adquirir mais facilidade em compreender que suas afirmações auto-reveladoras são suas à medida que aprender os diferentes modos de fazer essas afirmações. O importante é ter em mente, ao aprender cada uma, que é correto usá-las e que elas para você são verdadeiras, e não deixar de ouvir o que os outros têm a dizer.

Faça Afirmações Sensoriais

No Capítulo 1 aprendemos que os nossos sentidos — visão, audição, olfato, paladar e tato — são a fonte de todas as nossas informações a respeito do mundo; agora vamos aprender a usar a informação que eles nos dão para ilustrar as afirmações auto-reveladoras que fazemos. Desse modo, a outra pessoa poderá sentir a situação a partir do nosso ponto de vista, e assim compreender por que fizemos tal afirmação.

Suponhamos que você diga à sua chefe: "Achei que você não ficou satisfeita com a minha apresentação." Vamos dizer que sua chefe tivesse ficado satisfeita; ela precisaria saber o que foi que você viu e ouviu que o levou a essa interpretação. Você poderia dizer: "Bom, quando eu estava fazendo a apresentação você não fez qualquer pergunta, tinha um ar de quem estava achando tudo ridículo e vi que consultou várias vezes o relógio"; porém sua chefe responde: "Não fiz perguntas porque achei que você estava indo muito bem, esclarecendo todas as dúvidas que eu pudesse ter; fiquei realmente feliz por vê-lo tão bem preparado, por isso estava sorrindo. E fiquei consultando o relógio porque minha filha estava doente e eu tinha que ligar para o médico antes das duas horas."

Ao usar afirmações sensoriais para mostrar à chefe como chegou à sua conclusão, você lhe permitiu esclarecer o mal-entendido. Se ela tivesse simplesmente reagido ao seu comentário dizendo "Sim, fiquei muito satisfeita", você provavelmente iria continuar se sentindo inseguro e não teria meios de determinar por que tinha interpretado as reações dela de maneira tão errônea. Também ela ficaria sem entender o motivo de ter sido mal-interpretada. Assim, as afirmações sensoriais não apenas permitirão esclarecer qualquer mal-entendido como também lhe ajudarão a ter uma compreensão melhor no futuro.

Ao usar seus sentidos para ilustrar as afirmações você estará também ajudando a evitar desentendimentos, pois deixará claro que não está se arrogando a posição de dono da verdade absoluta, mas simplesmente registrando e interpretando as informações que recebeu dos seus sentidos. A maneira emocionalmente inteligente de utilizar as afirmações sensoriais não é provar alguma coisa ou provar que você está certo — pois, não se esqueça, a inteligência emocional reconhece o direito dos outros às suas próprias interpretações —, mas sim explicar como você chegou a essa interpretação, abrindo a porta para que a outra pessoa esclareça qualquer mal-entendido.

Use Afirmações Interpretativas

As afirmações interpretativas revelam o que você está pensando em determinado momento. "Acho que está na hora de ir embora", "Não imaginei que você estaria interessado", "Acredito que você fez isso de propósito" — estas afirmações insinuam que antes de fazê-las você levou em conta certos dados: "São três horas e temos outro compromisso às quatro", "No passado você nunca mostrou interesse nos meus planejamentos semanais", "Você disse ao cliente que eu tinha quatro outros clientes, o que só pode tê-lo levado a achar que eu não poderia cuidar da conta dele".

Suponhamos, porém, que surjam novas informações: "A reunião foi adiada para as cinco horas", "Eu não sabia que você sempre lê os planejamentos de Peter", "Não sabia que você tinha dito ao cliente que eu trabalho melhor quando tenho muitos clientes ao mesmo tempo". Nesse caso você certamente corrigiria suas interpretações: "Acho que não precisamos ir embora imediatamente", "Claro que posso compreender que você esteja interessado em ver meus planejamentos semanais", "Agora entendo que você estava tentando melhorar meu relacionamento com o cliente".

Ao fazer afirmações interpretativas — por exemplo, "Não imaginei que você estaria interessado" — você sugere que sua interpretação está sujeita a ser corrigida, e assim a pessoa que escuta não se sente acuada pela sua certeza. Imagine como seu chefe poderia ter reagido se em vez disso você tivesse dito: "Você não está interessado em ver meu planejamento semanal." Vocês entrariam numa discussão do tipo "Estou, sim","Não está, não", que iria obstruir a comunicação e deixar os dois frustrados.

Como no caso das afirmações sensoriais, quanto mais informações você fornecer, mais facilmente a outra pessoa poderá entender como você chegou à sua interpretação e ajudá-lo a corrigi-la se for necessário. Ilustre suas afirmações interpretativas com afirmações sensoriais: "Nunca vi você examinando o planejamento semanal de outra pessoa", "Ouvi você dizer ao cliente que no momento estou trabalhando em outros quatro projetos". Esteja aberto e disposto a receber novas informações: "Acredito que não ouvi toda a sua conversa com o cliente. Ele deve ter ficado confiante quando você lhe disse que eu cuido muito bem dos meus quatro clientes."

Faça Afirmações de Sentimentos

Como aprendemos no Capítulo 1, é importante entrar em contato com seus sentimentos porque eles o alertam para seu grau de confiança numa determinada situação e o ajudam a compreender as próprias reações. Funcionam do mesmo modo quando você os revela a outras pessoas: fornecem informações sobre seu grau de confiança e as razões por trás de suas reações. Isso dará à outra pessoa uma imagem melhor da situação, sugerindo meios de modificá-la se necessário.

Suponhamos que seu chefe tenha cortado uma semana do seu cronograma de produção; por causa disso você está trabalhando muitas horas extras, mal vê a família e está dormindo pouco. Então diz ao chefe: "Sinto-me sobrecarregada por essas horas extras" (uma afirmação do tipo "Eu sinto"); "Durante toda a semana passada cheguei em casa depois das 10 horas, e trabalhei durante o fim de semana" (uma afirmação bem ilustrada); "Sinto-me triste ao ver tão pouco meus filhos, e o medo de não conseguir cumprir o prazo me provoca ansiedade" (uma clara afirmação de sentimentos).

É evidente que muitas informações úteis foram passadas ao chefe: você lhe mostrou como o trabalho extra é difícil para você, o que permitiu a ele entender por que você tem sido impaciente com alguns colegas e também por que ele o flagrou cochilando durante uma reunião. Ele talvez não tenha condições de modificar a situação, mas pelo menos poderá entender como a situação está lhe afetando — e mostrar-se solidário.

A maioria de nós já foi aconselhada a deixar as emoções em casa com os chinelos porque elas não fazem parte de um ambiente de trabalho, onde só poderão causar problemas. Aliás, no exemplo acima seu chefe poderia ter dito: "Bem, Marie, se você não está agüentando, então talvez fosse melhor procurar outro emprego." Mas se seu chefe é uma pessoa emocionalmente inteligente (o tipo de chefe que todos nós queremos ter), ele reconheceria que você está enfrentando uma situação extrema e que foi até ele para revelar sua preocupação e procurar um jeito de aliviá-la — ele levaria a sério sua auto-revelação. Mas, como sabemos muito bem, nem todos os chefes desenvolveram a inteligência emocional; é claro que existe algum risco em revelar seus sentimentos, especialmente se isto for feito de modo inadequado, como você verá no seguinte exemplo:

Suponhamos que em vez de abordar seu chefe como você fez, você tivesse irrompido na sala dele dizendo: "Estou furiosa por termos que cortar uma semana no cronograma de produção. Isto é muito injusto. Que espera que a gente faça?" O seu chefe, por mais esclarecido que fosse, iria se sentir desafiado, interpelado e agredido. Ele provavelmente iria considerá-la uma pessoa excessivamente temperamental, incapaz de lidar com a tensão: uma pessoa difícil de se trabalhar em conjunto. E provavelmente iria ficar ressentido — uma emoção que não conduz à resolução da situação.

A diferença entre os dois exemplos é que o primeiro foi tratado de maneira emocionalmente inteligente, e o segundo não. Para fazer afirmações de sentimentos de maneira emocionalmente inteligente você precisa:

- Atentar para os seus sentimentos
- Exprimi-los de maneira exata
- Ser sensível ao interlocutor

Atente para seus Sentimentos

Antes de poder compartilhar seus sentimentos com outra pessoa você precisa conhecê-los. No Capítulo 1 mostramos como isso é difícil, porque muitas vezes disfarçamos nossas emoções (parece que você está furiosa com o chefe, mas na verdade está se sentindo ansiosa e frustrada) ou nos escondemos delas (você finge que a situação está ótima, que pode cuidar do trabalho extra, mas se mostra impaciente com os colegas). Sugiro reler o Capítulo 1 caso você precise relembrar como entrar em contato com seus sentimentos (levando em conta as alterações fisiológicas, por exemplo).

Expresse seus Sentimentos de Maneira Exata

Mesmo depois de prestar atenção em seus sentimentos você pode achar difícil revelá-los. Uma razão é o medo da repercussão; outra é o desconforto com qualquer vulnerabilidade que possa resultar dessa revelação e outra ainda é a falta de familiaridade com o processo. O medo e a vulnerabilidade podem ser abrandados se você souber que poderá usar sua sensibilidade (que estudaremos mais adiante) para diminuir qualquer repercussão negativa. Quanto à maneira de expressar exatamente seus sentimentos, você deve começar descobrindo quais são eles; faça uma lista dos seus sentimentos usando afirmações do tipo "Eu sinto".

> "Sinto-me sobrecarregada com todas essas horas extras."
> "Sinto-me triste por não ver meus filhos."
> "Sinto-me deprimida porque nunca consigo colocar o trabalho em dia."
> "Sinto-me ansiosa porque acho que não conseguiremos cumprir o prazo."
> "Sinto-me frustrada porque tudo parece estar demorando demais."

Ora, você provavelmente não iria querer manisfestar todos estes sentimentos ao seu chefe, porque não gostaria de desvendar tanta coisa sobre si mesma. Além disso, se você revelar a lista toda, ele pode ser capaz de não entender coisa alguma e julgá-la uma pessoa que gosta de reclamar. De modo que você deve selecionar as afirmações de sentimentos que expressem claramente o que está sentindo, para que ele possa compreender como você está reagindo à situação e talvez até mesmo descobrir uma solução.

"Sinto-me sobrecarregada por todas essas horas extras" é uma boa afirmação para começar; as horas extras são algo acima e além do trabalho normal, de modo que é compreensível que elas lhe causem desgaste. Sentir tristeza por não ver os filhos é outro sentimento que convém revelar, pois ele informa que sua vida fora do trabalho está sendo afetada. Não é aconselhável revelar o sentimento de depressão, pois ele sugere que você não consegue lidar com a tensão. Sentir-se ansiosa a respeito do prazo é razoável, mas talvez você possa expressar isso melhor suprimindo a palavra "frustrada" da última afirmação, que não deve ser usada porque você não quer que ele saiba que tudo está levando muito tempo para ser feito.

As pessoas muitas vezes confundem afirmações do tipo "Eu penso" com afirmações do tipo "Eu sinto": "Eu sinto que há simplesmente trabalho demais a fazer"; "Eu sinto que não é justo que o cronograma tenha sido cortado"; "Eu sinto que devíamos ter folga pelo menos nos fins de semana". Ora, você não pode sentir que há trabalho demais a fazer — você pode sentir exasperação, cansaço, desânimo; tampouco pode sentir "que não é justo" —, mas pode sentir descontentamento, aflição, revolta. Se você puder substituir uma afirmação do tipo "Eu sinto" por uma do tipo "Eu penso" ou "Eu acredito" ("Eu acredito que devíamos ter folga pelo menos nos fins de semana"), então você estará expressando um pensamento ou uma opinião, e não um sentimento.

Do mesmo modo as pessoas costumam confundir um estado com um sentimento; a afirmação "Eu me sinto explorada" é um exemplo disso. "Ser explorada" não é uma emoção, mas um estado: você está sendo explorada. Se você puder inserir a expressão "como se eu estivesse sendo" entre o verbo "sinto" e o adjetivo "explorado", estará descrevendo um estado e não uma emoção. Isto não é apenas uma questão de semântica: os sentimentos nos afetam de maneira muito diferente dos pensamentos ou interpretações a respeito de um estado de ser.

Um ponto que é preciso ter em mente é que você pode transmitir sentimentos de outras maneiras além de expressá-los verbalmente, e algumas delas você pode até mesmo nem notar. Suponhamos que o chefe entre na sua sala e lhe peça para executar algumas tarefas adicionais; você deixa cair os ombros, curva a espinha, cerra os lábios, olha para o chão; o que você está exprimindo é que se sente abatida, desalentada. Ou então você reage colocando as mãos nos quadris e encarando-o nos olhos, exprimindo desafio — "Não vou fazer mais coisa alguma!" —, mesmo que nos dois casos você diga apenas "Está bem". Se constatar que suas palavras ("Está bem") estão em conflito com seu sentimento (desânimo), trata-se de um alerta para você prestar atenção à sua linguagem corporal, para ler o que ela está dizendo à outra pessoa. "Está bem" pode ser a resposta adequada nessa situação; por outro lado, você pode querer revelar seus sentimentos a respeito do pedido do chefe: "Já estou me sentindo sobrecarregada e frustrada por todo o trabalho que tenho a fazer. Não há outra pessoa a quem você pudesse pedir para fazer essas coisas?"

Seja Sensível a seu Interlocutor

As emoções podem ser muito violentas; basta pensar no modo como a raiva pode às vezes tomar conta do seu corpo inteiro, como um trem de carga atravessando seu corpo. Muitas vezes sentimos intensamente nossas emoções, o que pode acontecer também com as pessoas a quem as revelamos. Como você não vai querer que suas emoções dominem a outra pessoa, vai precisar usar a sensibilidade para detectar de que maneira essa pessoa está reagindo.

Suponhamos que quando você começa a contar ao chefe como está se sentindo em relação a todo o trabalho extra ele suspire e faça cara de impaciência, como se dissesse: "Já cansei de ouvir isto. Chega, não quero mais ouvir." Pode ter acontecido de outras pessoas o terem abordado para dizer que estão tendo problemas com o excesso de trabalho, e ele, impossibilitado de modificar a situação, se sinta frustrado e exasperado. A mensagem dele é que esse não é um bom momento para discutir o que você está sentindo. De modo que você deveria cortar o assunto, talvez dizendo alguma coisa do tipo "Parece que esta não é uma boa hora para discutir isso". Se a outra pessoa não se encontrar num estado de espírito adequado, ela não será receptiva. Oriente o que você vai dizer pelo modo como a pessoa aparenta estar reagindo. Se você sentir que a pessoa está começando a ficar irritada ou magoada, parece ser uma boa idéia modificar o que está dizendo para torná-lo menos irritante, ou cortar a conversa por enquanto.

Você precisará também escolher uma ocasião e um local convenientes. Parar uma colega no corredor e dizer "Estou muito ressentido porque cada vez que você usa meu computador acaba desligando sem fechar os aplicativos" não é uma boa escolha de local: um lugar público, feito para as pessoas transitarem, não é propício para uma conversa séria. Em vez disso, pergunte à sua colega se vocês podem conversar por alguns minutos na sala dela ou na sua, ou na cantina, se ali puderem gozar de relativa privacidade. Do mesmo modo, se você soubesse de antemão que seu chefe estava tendo um dia difícil, sentindo-se extremamente pressionado com relação ao prazo final, então saberia que aquela não era uma ocasião apropriada para revelar seus sentimentos.

É importante também aplicar o padrão de conveniência à seleção dos sentimentos que você deseja revelar, de modo a ficar protegido de quaisquer repercussões desagradáveis. Como já mencionei, em geral não seria conveniente contar ao chefe que você está deprimida; dependendo das circunstâncias, poderia ser conveniente revelar isto a um colega. Em geral não é conveniente expressar raiva — isto pode assustar as pessoas. Em geral é melhor dizer: "Estou muito contrariado", guardando a palavra "raiva" para as situações extremas, quando você realmente precisar passar essa mensagem.

Você deve estar lembrado que no início do estudo dos sentimentos foi dito que em geral é útil revelá-los porque isso dá ao ouvinte informações importantes; um ponto essencial a ter em mente é que você não pode esperar que a outra pessoa mude ou faça modificações como conseqüência da sua revelação. Mesmo depois de contar à colega que você se sentiu magoada por ela não a ter chamado para trabalhar em seu novo projeto, embora vocês tenham conversado sobre ele durante vários dias, você não pode esperar que ela peça desculpas e a inclua naquele ou em outros projetos; pode ser que ela faça isso, mas você não deve ter essa esperança. Tudo que pode fazer é certificar-se de ter entrado em contato com seus próprios sentimentos e tê-los revelado fielmente, usando sua sensibilidade.

Use Afirmações de Intenção

Ao revelar suas intenções você permitirá que a outra pessoa conheça seus desejos. Quando fica bem claro para ambos o que você deseja de uma situação (levando em conta, naturalmente, aquilo que a outra pessoa possa querer), os dois se encontram mais capacitados para planejar juntos a melhor maneira de você atingir sua meta.

Digamos que durante uma reunião tenha sido proposto um projeto novo, que você gostaria de dirigir; a única maneira de sua chefe ficar sabendo disso é você lhe contar. Poderia dizer: "Eu realmente gostaria de ficar encarregado da campanha publicitária da Pacific Productions" — uma afirmação clara e objetiva; "Talvez você não saiba, mas no meu último emprego eu fazia publicidade para os maiores concorrentes dela, de modo que conheço realmente a questão" — uma boa ilustração; "Pode ser que você já tenha outra pessoa em mente, mas se não tiver eu gostaria de colocar meu nome como candidato" — mostra sensibilidade às possíveis intenções da chefe.

Embora seja importante ser claro e direto a respeito de suas intenções, de modo que o caminho para a realização delas fique claro, você deve ser sensato na seleção dos desejos que vai revelar. No capítulo sobre a autoconsciência vimos que o ato de identificar suas intenções muitas vezes exige que você faça a distinção entre os propósitos ocultos e os desejos aparentes. Em geral você não gostaria de revelar seus propósitos ocultos. No exemplo acima, suponhamos que a verdadeira razão por que você deseja dirigir a campanha publicitária da Pacific Productions é que pretende um dia trabalhar para essa empresa; se sua chefe ficasse sabendo dessa sua intenção, talvez começasse logo a procurar um substituto para você.

Sua inteligência emocional funciona aqui em primeiro lugar ao permitir que você compreenda quais são suas reais intenções, depois quando você estuda quais delas revelar e quais guardar para si e, finalmente, quando usa a sensibilidade ao transmitir suas intenções.

Usar a sensibilidade levaria você a dar espaço às intenções da outra pessoa, incorporando-as ao seu plano de ação. No caso da campanha publicitária, você reconheceu que sua chefe pode ter uma intenção diferente da sua, ou seja, outra pessoa para dirigir a campanha. Suponhamos que ela tenha; você poderia dizer então: "Existe algum modo de nós dois dirigirmos a campanha juntos?" Desse modo você ainda está perseguindo seu desejo, mas está fazendo uma concessão para conseguir atingi-lo.

Usar a sensibilidade irá também impedir que você use suas intenções para influenciar ou controlar outras pessoas. O elemento controle surge quando sua intenção é expressa como um comando: "Victor, quero que você ligue para o cliente e diga a ele que os orçamentos que nós apresentamos são baseados nas cifras do ano passado". Sua verdadeira intenção nesse caso é, provavelmente, que o cliente aceite sua proposta; a melhor maneira de acontecer isso é fazer o cliente ficar sabendo que seus preços são os mesmos do ano anterior. Imagine como Victor se sentiria melhor se você tivesse expressado sua intenção da seguinte maneira: "O que eu quero é que o cliente simplesmente aceite a proposta e não fique nos obrigando a vender nosso peixe. Acho que se você lembrasse a ele que nossos preços são os mesmos do ano passado ele talvez se convencesse; quer telefonar para ele, por favor?"

Faça Afirmações de Atitude

Esse tipo de afirmação informa à pessoa o motivo por que você fez, está fazendo ou fará alguma coisa, e registra que você a fez ou está fazendo, caso a pessoa ignore esse fato. A importância das afirmações de atitude é que elas fornecem informações que de outro modo a pessoa não teria.

Por exemplo, vamos dizer que você está em reunião com uma consultora que está apresentando sugestões para a reorganização de sua empresa e você está sentado em silêncio, olhando pela janela. A consultora pode achar que você não está interessado no que ela está dizendo, ou que tem coisas mais importantes para pensar; a realidade da situação é que você está meditando sobre o que ela está dizendo, perguntando-se como poderia implementar algumas das recomendações que ela está fazendo. Ao fazer uma afirmação de atitude, como "Estou pensando no que você disse", você vai esclarecer o que está realmente acontecendo, poupando-lhe o constrangimento de pensar que não estava agradando. Suponhamos que você tenha tentado o dia inteiro enviar a um colega um formulário que ele queria, mas o fax dele passou o tempo todo com a linha ocupada. Ao lhe relatar esse fato — que ele não saberia de outra forma — você pode evitar que ele pense que você foi irresponsável ou desatento às necessidades dele.

As afirmações de atitude são especialmente importantes dentro do contexto da inteligência emocional porque permitem que as outras pessoas saibam que você está preocupado com o modo como elas possam perceber suas ações — ou omissões, como no caso do fax que não pôde ser enviado — e com o impacto que um mal-entendido possa vir a ter para elas.

Suponhamos que enquanto dirige de volta para casa depois de uma reunião você se dá conta de que interrompeu Bill várias vezes. Você não discordou do que ele estava dizendo, tampouco achava que tinha mais direito de falar do que ele; simplesmente tinha tanta coisa a dizer que acabava interrompendo Bill. De modo que na manhã seguinte você diz a ele: "Sei que interrompi você várias vezes na reunião de ontem, e isso parecia atrapalhar seu raciocínio. Só quero que saiba que fiz isso porque estava entusiasmado com o que você estava dizendo, e tinha tanta coisa a dizer sobre o assunto que não consegui me controlar. Não foi por falta de respeito nem por discordância, mas sim por entusiasmo." Dizendo isto você informa Bill de que tem consciência de seus atos, está preocupado com o efeito adverso que eles possam ter tido para ele e se preocupa com os sentimentos dele.

Para fazer afirmações de atitude eficazes você precisa primeiro ter consciência das suas atitudes — olhar pela janela, interromper o orador na reunião. Você talvez se interesse em reler a seção do Capítulo 1 que ensina a prestar atenção para que a consciência lhe venha com facilidade. O segundo passo é ter consciência do possível impacto que sua atitude pode causar. Uma boa maneira de fazer isso é colocar-se na pele da outra pessoa. "Eu sem dúvida pensaria que Gerri estava entediada se ela ficasse olhando pela janela enquanto eu fizesse uma apresentação", "Eu sem dúvida interpretaria o fato de Allen não me mandar o fax como indicação de que ele não quis se dar ao trabalho, não se importa que eu o receba ou não", "Se Bill ficasse me interrompendo como eu fiz com ele, eu pensaria que ele acha que o que tinha a dizer é muito mais importante do que aquilo que eu tinha a dizer".

A auto-revelação é o primeiro passo para transmitir a outrem sua posição sobre determinado assunto; a positividade é a técnica que você usa para garantir que a pessoa receberá a mensagem.

A Positividade

A positividade é a capacidade de defender seus direitos, suas opiniões, suas idéias, suas crenças e seus desejos, ao mesmo tempo respeitando os dos outros. Em contraste com a agressividade — que ignora as necessidades da outra pessoa — e a passividade — que ignora suas próprias necessidades —, a positividade é a maneira emocionalmente inteligente de ter essas necessidades providas; ela leva em conta seus pensamentos, suas idéias e seus sentimentos, assim como os da outra pessoa, de um modo que funciona para benefício mútuo.

Use as Palavras e a Linguagem Corporal para Promover sua Positividade

A positividade é comunicada tanto através das palavras que você usa quanto através do modo como você as usa, e através das mensagens do seu corpo. Vamos estudar o seguinte diálogo, quando seu chefe lhe pede para trabalhar no fim de semana pela terceira vez:

Você: "Lamento, mas não vou poder trabalhar no próximo fim de semana. Como eu lhe disse duas semanas atrás e também na semana passada, minha família está planejando viajar no próximo fim de semana e, como trabalhei nos dois últimos fins de semana, isso me parece bastante razoável."

O chefe: "Todos nós gostamos de fazer planos, mas esse comercial tem que estar pronto dentro do prazo."

Você: "Eu sei que ele tem que estar pronto dentro do prazo, e é por isso que tenho trabalhado tanto nele. Mas simplesmente não vou poder trabalhar neste fim de semana."

O chefe: "Sei que você vai conseguir dar um jeito de trabalhar neste fim de semana, porque sempre conseguiu."

Você: "Estou começando a me sentir frustrada, pois parece que você não está escutando o que eu estou dizendo: não vou poder trabalhar neste fim de semana."

O chefe: "Por que não pode trabalhar neste fim de semana, que é tão importante para o projeto, e folgar no próximo?"

Você: "Porque não posso simplesmente alterar os planos da minha família inteira. Preciso desse tempo com a minha família para poder me recuperar, para conseguir trabalhar no comercial com mais afinco ainda na semana que vem. Escute, acredite em mim, sei como é importante que a gente faça um bom trabalho com esse comercial. Vou voltar do fim de semana mais descansada, vou fazer serão todas as noites e trabalhar no próximo fim de semana se ele ainda não estiver pronto. Não vou decepcioná-lo."

O chefe: "Está bem, eu concordo."

Usando este diálogo como exemplo do uso bem-sucedido da positividade, vamos estudar os meios para você aprender a usá-la com eficácia.

Dicas para Utilizar com Eficácia a Positividade

1. Ilustre sua posição com fatos relevantes. Por duas vezes você já dissera a seu chefe que não poderia trabalhar neste fim de semana, portanto é importante ressaltar que você o avisou com bastante antecedência. É também importante lembrar que você trabalhou nos dois fins de semana anteriores. Às vezes a outra pessoa precisa que você lembre as razões factuais nas quais se baseia sua posição.
2. Mostre que você compreende a posição da outra pessoa. Ao dizer ao chefe que você reconhece que o comercial tem que ficar pronto dentro do prazo, que você compreende a importância do trabalho ficar bom, você informa que está pensando nas necessidades dele, porém suas idéias a respeito de como prover essas necessidades são diferentes das dele.
3. Use a repetição. Seu chefe está oferecendo um exemplo claro de falta de inteligência emocional ao tentar resolver essa situação; ele está tentando forçar a vontade dele sobre você. A melhor maneira de reagir é mostrar que ele não pode fazer isso, repetindo exatamente sua posição: você não vai trabalhar neste fim de semana. Seja firme e não levante a voz.
4. Use afirmações de sentimento. Às vezes nem mesmo com a repetição a outra pessoa aceita sua posição, e continua a tentar convencê-lo. Portanto use uma afirmação de sentimento: "Estou começando a me sentir exasperada" (ou "zangada", ou "frustrada"). Todas estas são emoções bastante fortes, de modo que ao ouvir você mencioná-las seu chefe deveria saber que precisa mudar de tática.
5. Exemplifique as razões para sua posição. Você precisará declarar aquilo que é razoável e justo na sua posição e aquilo que não é razoável nem satisfatório na posição de seu chefe. Embora você já tenha explicado a ele suas razões para se sentir justificada em não trabalhar neste fim de semana, ainda assim você precisa reiterá-las: já trabalhou nos dois fins de semana anteriores e precisa se recuperar. O que é insatisfatório na posição do seu chefe, além do que você já mencionou, é que isso significaria alterar os planos de toda a sua família.

6. Procure um meio-termo. Sua meta neste caso deveria ser uma solução com satisfação mútua. Você não vai recuar da sua posição, mas vai dar ao chefe alguma coisa para ele se sentir contente com o desfecho: você promete que vai trabalhar até mais tarde durante toda a semana e no fim de semana seguinte, e lhe assegura que irá trabalhar ainda melhor depois ter tido o fim de semana para se recuperar.

Ao colocar em prática cada uma dessas dicas você precisará prestar atenção em duas considerações importantes: ter consciência das mensagens que seu corpo está lhe transmitindo e não cair na agressividade ou na passividade.

Utilize as Mensagens do seu Corpo

Já vimos quantas coisas podemos transmitir a outra pessoa através da nossa linguagem corporal; agora vamos usar essa linguagem para ajudar a reforçar nossa positividade.

Dicas para Usar a Linguagem Corporal para Reforçar sua Positividade

1. Posicione-se apropriadamente. Fique próximo à pessoa com quem você está falando, mas não tanto que sua proximidade possa ser interpretada como agressividade. Sente-se ou fique de pé de modo a mostrar determinação — mantenha o corpo ereto. Incline-se para a pessoa enquanto fala, para sugerir seu propósito de que a outra pessoa aceite sua posição. Mantenha contato de olhar, para exprimir sua determinação.
2. Use as expressões faciais apropriadas. Sorria quando estiver contente, franza a testa quando estiver zangado, erga as sobrancelhas quando estiver confuso — não o oposto.
3. Controle o tom de voz. É fácil permitir que o tom de voz fique cada vez mais elevado, numa situação que o deixe frustrado ou zangado. Esforce-se para manter o controle da voz, falar com inflexão firme (porém não autoritária) e confiante, e não titubear; você deve aparentar ser o mais racional e seguro que puder.

Atente para o Comportamento Agressivo e o Comportamento Passivo

Às vezes, apesar de nossos esforços mais intensos e nossas melhores intenções, nos deparamos caindo na agressividade ou na passividade. Os indícios da primeira são: voz alterada, gestos ou poses de intimidação, afirmações que menosprezem a outra pessoa. Se você perceber que está tomando alguma dessas atitudes, pare imediatamente e releia as dicas para utilizar com eficácia a positividade.

A passividade, embora permita que a vontade da outra pessoa seja feita, pode provocar raiva, frustração e amargura em você. Encontrar esses sentimentos em você é um bom indício de que deixou de usar sua positividade. Você pode pensar: "Ah, é melhor fazer a vontade do chefe a respeito deste fim de semana. Aí ele vai me apreciar mais"; na realidade, se você seguir todas as dicas de positividade seu chefe não vai sentir que você o "derrotou", mas sim que você mostrou muita habilidade ao colaborar para levar a discussão para uma solução de concessões aceitáveis para ambos.

Aprendemos que a auto-revelação pode facilitar a comunicação eficaz e que a positividade pode colaborar para levar a auto-revelação um passo adiante; como toda comunicação envolve uma troca, vamos estudar em seguida o outro extremo: escutar.

A Escuta Dinâmica

A maioria de nós nasce sabendo ouvir, mas saber escutar é uma técnica que temos que aprender. A escuta dinâmica é uma prática da inteligência emocional que traz um alto grau de autoconsciência para o processo de compreender e reconhecer a outra pessoa e responder a ela. A função da autoconsciência é observar o modo como permitimos que nossos filtros pessoais bloqueiem e às vezes transformem as informações que deveríamos estar recebendo, como também evitar que sejamos contagiados pelo subentendido emocional das afirmações de outrem. Nesta seção vamos aprender a tomar consciência dos nossos filtros pessoais e a eliminá-los ao máximo, bem como atentar para o subentendido emocional daquilo que a outra pessoa está dizendo.

Tome Consciência de seus Filtros Pessoais

Em geral esses filtros são criados por nossos pensamentos, idéias e sentimentos. Quando estão em funcionamento eles influenciam a quantidade e também a qualidade da informação que ouvimos. Há quatro tipos de filtros: o filtro da predileção, o filtro do "quem", o filtro dos "fatos" e o filtro da distração. Vamos estudar cada um deles e também as maneiras de desativá-los.

O Filtro da Predileção

Principalmente em situações que provoquem ansiedade ou raiva, tendemos a escutar apenas aquilo que desejamos. Em alguns casos isto significa escutar apenas o melhor daquilo que a pessoa disse, e em outros casos significa escutar apenas o pior, quando por um motivo qualquer precisamos que a situação seja ainda pior do que ela é.

Suponhamos que seu chefe lhe diga: "Fiquei muito ressentido porque ontem, na reunião com o cliente, você começou a falar nos possíveis preços de nossos serviços, quando eu tinha dito especificamente, antes da reunião, que não íamos discutir preços; se alguém tinha que decidir tocar nesse assunto, esse alguém era eu. No que me diz respeito, você está fora deste projeto. Se tiver uma explicação plausível para oferecer, posso mudar de idéia, mas, francamente, não acredito que exista uma explicação, e já tomei minha decisão."

Trata-se de uma situação que provoca ao mesmo tempo raiva e ansiedade. Você sente raiva do chefe pela reprimenda, especialmente porque o cliente só decidiu trabalhar com sua empresa depois que você informou o preço — o cliente estava imaginando que iria pagar bem mais. O outro motivo da sua raiva é você ter passado vários meses cortejando o cliente e conhecê-lo bem, ao passo que seu chefe só interveio no fim do processo. O que você ouviu é que se puder dar uma explicação terá o cliente de volta; isto, naturalmente, é o que você quer ouvir. O que você não ouviu é que seu chefe disse duas vezes que você está fora do projeto. Você deixou de notar também a linguagem corporal dele: ele o encarou nos olhos, sugerindo estar decidido, e inclinou-se na sua direção de um modo quase agressivo. A mensagem disso é que, sendo justo ou não, você está fora do projeto.

Agora vamos dizer que você seja uma dessas pessoas que sempre encara toda situação pelo pior prisma possível — talvez ache cômodo o papel de vítima. Depois da mesma reunião seu chefe lhe diz: "Poxa, fiquei sem entender por que, na reunião de ontem, depois de eu ter dito explicitamente que só eu poderia falar de preços com o cliente, você fez isso. No que me diz respeito, foi um gesto de insubordinação e insensibilidade. Se você não tiver uma boa explicação, considere-se fora dessa conta."

Aqui seu chefe está claramente deixando a porta aberta; e você tem uma boa explicação: conhece bem o cliente e sabe que ele gosta de ser informado logo dos preços. E seu chefe é uma pessoa razoável. Mas como em situações semelhantes você só ouve as ameaças e os comentários negativos, agora você ouviu seu chefe tirar seu cliente, o que significa que você provavelmente está desempregado.

Eis um método para desligar esse filtro da predileção que funciona tanto para quem tende a ouvir só as coisas positivas quanto para quem só ouve as negativas: depois da conversa com o chefe, volte para sua sala e transcreva tudo que ele disse. Tente relembrar toda a conversa na seqüência correta. Anote as impressões que você teve: "Ele parecia bravo. Ele parecia penalizado." Se você realmente transcreveu o que foi dito, é provavel que ao reler a conversa você adquira uma visão melhor daquilo que realmente foi comunicado. Então poderia levar em consideração as coisas que sabe sobre seu chefe: "Ele tende a se irritar e tomar atitudes impensadas. Ele odeia ser desobedecido." No outro caso, poderia ser: "Ele geralmente dá uma segunda chance. Ele é uma pessoa bastante razoável."

Quando você reunir essas informações, provavelmente constatará que no primeiro caso é o fim da sua carreira nessa empresa; no segundo, você provavelmente poderá resolver as coisas com o chefe.

O Filtro do Quem

Este filtro nos impede de escutar o que está sendo dito porque damos demasiada importância àquilo que sabemos ou pensamos saber da pessoa que está falando, de modo que deixamos de escutar a verdadeira mensagem. Suponhamos que você saiba que seu chefe é uma pessoa generosa, compreensiva, razoável, e que durante uma reunião com o cliente ocorra a mesma situação descrita anteriormente; no dia seguinte seu chefe diz: "É a terceira vez que eu lhe digo antes de uma reunião com o cliente de que maneira eu quero que as coisas aconteçam e você resolve fazer do seu jeito. Acho isso inteiramente inaceitável. Mostra insubordinação e falta de respeito. Você já teve seu último aviso; agora está fora da minha equipe."

Como você sabe que seu chefe é compreensivo, como ele não o despediu nas outras duas vezes, o que você escuta é que vai ter outra chance, que este foi seu último aviso e se fizer isso de novo será despedido, quando o que ele estava realmente dizendo era que não haveria mais avisos nem chances — você está despedido.

A frase mais importante foi: "Você está fora da minha equipe"; mas tudo que você pensa que sabe sobre o chefe evitou que você a ouvisse. Você julga que, sendo um sujeito justo, ele não iria despedi-lo.

Como no caso de desligar o filtro da predileção, você deveria transcrever a conversa. Neste caso o segredo é perguntar a si mesmo várias vezes: "Ele disse mais alguma coisa?" É de se esperar que você se lembre que ele disse: "Você está fora da minha equipe" — uma mensagem bastante clara, que você não teria dificuldade em interpretar, se conseguisse lembrar-se dela.

O Filtro do Quem é especialmente ativo em situações com pessoas com quem já tivemos experiências negativas ou a respeito de quem ouvimos coisas negativas. Suponhamos que você trabalhe com uma colega que todos dizem ser incompetente, não saber do que está falando, estar sempre mal preparada; ela entra para debater com você suas idéias para o programa de impostos de um cliente; você mal escuta as sugestões dela, partindo do princípio de que você vai formular o planejamento sozinho. Você desenvolveu um preconceito — esta pessoa é uma idiota — baseado naquilo que ouviu, e nesse processo se impediu de escutar qualquer coisa de valor que ela possa ter dito.

Nas situações em que você sabe que tem um preconceito forte a respeito de determinada pessoa, como no exemplo citado, antes de encontrar-se com essa pessoa diga a si mesmo que irá prestar atenção e avaliar com imparcialidade e mente aberta tudo que ela disser. Você não deixaria de tomar notas durante a reunião, pois sabe que tem a tendência de não prestar atenção nas idéias dessa pessoa.

O Filtro dos Fatos

Às vezes a pessoa só consegue ouvir os fatos, ignorando as mensagens emocionais. Ao longo deste livro aprendemos a importância de atentar para as emoções, tanto as próprias quanto as alheias. Escutando apenas os fatos é fácil deixar passar despercebida alguma informação preciosa enviada pelas emoções.

Tomemos o exemplo anterior, do prazo de produção que teve que ser encurtado. Sua funcionária entra e diz: "Sei que é muito importante cumprir este novo prazo. Você sabe que sempre trabalhei mais do que o normal e cumpri todos os meus prazos. Mas estou realmente me sentindo desgastada pelas horas extras que tenho trabalhado. Ando impaciente com as pessoas, porque não consigo dormir o suficiente. E fico muito triste por ver tão pouco meus filhos. Além disso, tenho medo de não conseguirmos terminar dentro do prazo."

Você está usando seu Filtro dos Fatos, então diz: "Bem, você sabe que temos que cumprir o prazo, então continue a se esforçar, e seja mais paciente com os colegas"; você não escutou o descontentamento da sua funcionária, pois só conseguiu ouvir o conteúdo do que ela está dizendo: "Sei que é importante cumprir o prazo, sou muito esforçada, estou impaciente." O descontentamento dela é um pedido de solução para o problema — "Vamos ver se conseguimos encontrar um meio de remediar a situação" ou, no mínimo, um pouco de compreensão e solidariedade — "Sei que isto deve ser muito desgastante para você, e agradeço de coração o esforço que está fazendo. Mas não vejo como podemos modificar a situação."

Sem escutar o conteúdo emocional do que a funcionária está comunicando, você deixa de reagir da maneira mais eficaz. Para desligar esse filtro use o seu conhecimento sobre as afirmações de sentimento: quando uma pessoa usar alguma, tome nota da emoção que está sendo expressa. Aqui também poderia ser proveitoso fazer uma lista daquilo que sua funcionária disse, para que ao retê-la você possa constatar que ela revelou estar se sentindo frustrada, triste e ansiosa.

O Filtro da Distração

Tenho certeza de que você já passou pela experiência de estar numa reunião quando de repente seu pensamento vagueia para o que você vai comer no almoço, os telefonemas a dar depois da reunião, a gravata horrorosa do Norman, a conferência da semana que vem. Isto acontece por várias razões; muitas vezes as palavras do orador fluem mais devagar do que nossa capacidade de absorver a informação, o orador é entediante ou fala baixo demais e sem inflexão, ou então nós simplesmente não conseguimos nos concentrar. Seja qual for a razão, a distração bloqueia mais do que qualquer outro filtro.

Um modo de manter o pensamento naquilo que está sendo dito é tomar muitas notas. Quando você tem que transcrever o que está sendo dito, presta atenção — e se não prestar terá as anotações para consultar. Além disso, use sua reação condicionada de relaxamento. Isto vai lhe permitir acalmar-se e prestar mais atenção. Se ainda assim você se sentir incapaz de se concentrar, então explique à outra pessoa que essa não é uma boa ocasião para conversarem e marque para uma outra ocasião, quando você estiver com mais disposição para escutar.

Nas seções anteriores estudamos alguns modos de desligar os filtros, desde tomar notas até atentar para as afirmações de sentimento e ser imparcial. A seguir veremos outros meios de aprender a tornar-se um ouvinte eficaz.

Dicas para Tornar-se um Ouvinte Dinâmico

1. Resuma as afirmações do interlocutor. Às vezes você pode deixar claro que realmente escutou o que a pessoa queria que você escutasse resumindo o que ela disse. Isto lhe permitirá colocar em suas próprias palavras aquilo que você ouviu e dará ao seu interlocutor a oportunidade de corrigir qualquer mal-entendido. O diálogo a seguir deve esclarecer esse processo:

   Supervisor: "Às vezes acho que devemos oferecer aos nossos funcionários mais oportunidades para expressar suas frustrações e tensões. Talvez isso nos ajudasse a descobrir por que o entusiasmo tem sido tão baixo."

   Gerente: "Está querendo dizer que alguns funcionários precisam desabafar, que isso pode fazer com que se sintam melhor e trabalhem mais?"

   Supervisor: "Sim, mas não se trata só de desabafar. Às vezes o trabalho se torna desgastante e eles precisam de algum meio de se expressar sem medo da repercussão."

   Gerente: "Um lugar seguro para conversarem sobre alguns assuntos em comum?"

   Supervisor: "Isso mesmo. É exatamente o que eu estava pensando."

2. Use expressões de atenção. "Estou entendendo", "É mesmo", "Gostaria de saber mais sobre este assunto" são expressões que informam ao orador que você está escutando, prestando atenção, e na mesma vibração — informações importantes para o orador.

3. Receba as afirmações de sentimento com afirmações do tipo "Eu percebo". No caso da funcionária assoberbada por causa do prazo de produção reduzido, você poderia reagir às afirmações de sentimento dela dizendo: "Percebo que você está se sentindo desgastada, e esta é mesmo uma situação difícil" ou "Percebo que você está realmente infeliz por ver tão pouco seus filhos, e gostaria que pudéssemos encontrar um modo de mudar isso" ou "Percebo que você está com medo de perder o prazo". Essas afirmações do tipo "Eu percebo" servem para esclarecer que você compreendeu o sentimento expresso — a funcionária pode lhe dizer, por exemplo, a respeito da sua última afirmação: "Não estou realmente com medo por causa do prazo, mas frustrada" —

e também mostrar a ela que você compreende o que ela sente e se preocupa com ela.

4. Utilize sinais não-verbais. Eles têm o mesmo propósito das expressões de atenção, mas usam a linguagem corporal em vez de palavras. Para mostrar ao interlocutor que você está escutando e entendendo tudo, estabeleça o contato direto do olhar, incline-se para ele, faça gestos de assentimento com a cabeça. Estes sinais e expressões não-verbais de atenção não devem ser usados se você não estiver escutando e sim pensando no relatório que recebeu de manhã, alguns profissionais são mestres em fingir que estão escutando, e essa hipocrisia não favorece uma comunicação eficaz.

Atente para o Subentendido Emocional

Conforme verificamos em várias seções deste livro, as pessoas sentem dificuldade em expressar seus sentimentos. Não apenas reprimimos nossos sentimentos, mas os disfarçamos e fugimos deles, e os encobrimos com fatos. Sendo você uma pessoa emocionalmente inteligente, é responsabilidade sua mergulhar por baixo desses fatos e escutar os sentimentos que estão realmente sendo expressos. Isto é particularmente importante quando a pessoa está vivendo uma situação desfavorável.

Suponhamos que uma colega venha comentar com você: "Esse sistema é tão injusto"; você poderia tirar conclusões do tipo "Você pensa assim porque não conseguiu a promoção". Não apenas isso seria especulação — é possível que ela considere o sistema injusto por algum motivo inteiramente diferente — como é mais do que provável que esta não fosse a resposta que ela realmente desejava ouvir quando veio falar com você. Uma resposta melhor seria: "Você parece desgostosa." Isso indica que você escutou o subentendido do que ela estava dizendo, o verdadeiro motivo pelo qual ela queria se comunicar com você. Ela então se sentirá mais à vontade para revelar seus sentimentos.

Se alguém lhe diz "Meu chefe não me compreende", você poderia argumentar que acha o chefe dele uma pessoa compreensiva, mas também nesse caso seu colega está exprimindo algo bem mais profundo, e a resposta apropriada seria: "Você parece estar se sentindo frustrado." Quando uma colega diz "Eu devia ter recebido essa promoção", a melhor coisa que você tem a dizer é: "Você parece magoada" ou "Você parece ressentida" — em vez de pôr-se a discutir se a colega merecia ou não a promoção, você abre a porta para ela expressar suas emoções e conseguir aliviar a mágoa ou o ressentimento. Você poderia até mesmo levar adiante o processo ajudando-a na solução do problema.

Para aprender a prestar atenção nos sentimentos da outra pessoa você deve utilizar as mesmas técnicas que usa para atentar para seus próprios sentimentos, isto é, observar as manifestações físicas e de atitudes — a expressão facial, a linguagem corporal, o ritmo da fala, o tom da voz, a tonalidade do rosto —, coisas que estudamos no primeiro capítulo.

Um ponto a ser lembrado: às vezes a pessoa não está querendo comunicar uma emoção escondida; a afirmação diz exatamente o que a pessoa queria comunicar. Suponhamos que uma colega engenheira procure você e diga: "Este eixo é um problema sério"; ela provavelmente não está se sentindo deprimida, mas sim confusa, e o que quer é uma ajuda específica: como lidar com o tal eixo.

Já vimos que sua inteligência emocional pode ser usada para ajudá-lo a expressar eficazmente seus pensamentos, idéias, sentimentos e desejos; vimos também como usar a positividade e como se tornar um ouvinte dinâmico; agora vamos estudar como essas técnicas podem ser aplicadas construtivamente, usando a crítica e a comunicação de grupo.

A Crítica

A crítica é um pouco como uma pílula amarga: embora seja difícil e desagradável de dar ou receber, ela é imensamente útil. É recebendo críticas que você amplia sua consciência de como as outras pessoas percebem o que você está fazendo, modifica as atitudes que parecem não dar certo e cresce com essa experiência; oferecendo uma crítica você pode ajudar outra pessoa a fazer o mesmo. Assim como os indivíduos se beneficiam com a crítica, o mesmo acontece com as organizações.

O que torna a crítica tão difícil de fazer ou receber é que ela geralmente faz quem recebe sentir-se vulnerável: ela atinge todos os aspectos do seu trabalho, desde a qualidade daquilo que você faz até seus sentimentos a respeito de seu desempenho ou relacionamento com a pessoa na outra ponta da crítica — que pode ser seu chefe, seu colega ou seu subordinado.

Por causa da conseqüente vulnerabilidade, as pessoas costumam ficar na defensiva quando estão recebendo uma crítica, o que leva aquele que critica a abordar a experiência com certo receio. A ferramenta para fazer e receber críticas da maneira apropriada é usar sua inteligência emocional: a consciência, tanto de si mesmo quanto da outra pessoa, a capacidade de controlar as emoções e todas as técnicas de comunicação que já estudamos. Nesta seção vamos aprender a tornar construtiva uma crítica e algumas dicas para utilizá-la com eficácia, esteja você fazendo ou recebendo a crítica.

Como Fazer uma Crítica Construtiva

Vamos imaginar a seguinte situação: você tem trabalhado muito no planejamento de negócios para sua pequena empresa de *design* gráfico. Sua sócia deveria estar fazendo isso com você, mas ela não tem comparecido às reuniões que vocês dois têm marcado, tampouco fez o trabalho de pesquisa que disse que faria. Não é por falta de tempo, porque vocês dois têm cargas de trabalho equivalentes. Sua sócia mostrou a mesma falta de responsabilidade quando vocês estavam preparando uma proposta para seu melhor cliente; em ambos os casos você teve que fazer tudo sozinho. A seguir vamos examinar as diferentes maneiras pelas quais a crítica pode ser utilizada construtivamente, usando essa situação como exemplo.

É preciso lembrar-se que a conveniência de hora e local depende da situação. A cantina pode ser apropriada, se não houver outra pessoa lá, se sua sócia estiver calma e você estiver preparado para a conversa.

Reconheça que a Crítica Pode Ajudar

O segredo para fazer ou receber uma crítica eficaz é reconhecer que se trata de um modo de ajudar outra pessoa a melhorar. Tendo isso em mente, você sabe que existe um propósito positivo em algo que pode ser bastante desagradável para todos os envolvidos; essa certeza ajuda a reduzir tanto a vulnerabilidade criada em quem recebe a crítica quanto a ansiedade provocada em que a faz; além disso, ela confere um propósito positivo ao processo e induz os envolvidos a irem até o fim.

Certifique-se de que a Ocasião e o Local São Convenientes

Escolha cuidadosamente a ocasião e o local da conversa; uma crítica pode às vezes ser constrangedora e humilhante para a pessoa que a recebe, de modo que você deve querer torná-la o mais privada possível. A sala de reunião, com suas paredes de vidro, não é uma boa idéia; tampouco a recepção. Às vezes uma área neutra é melhor do que sua sala ou a da outra pessoa. Use sua sensibilidade ao escolher um local onde sua sócia possa sentir-se à vontade. Quanto mais à vontade ela estiver, mais receptiva poderá ser.

O mesmo acontece quanto à ocasião: não marque a conversa para pouco antes da hora em que ela irá encontrar um novo cliente em potencial ou buscar a filha na creche, ou quando estiver debilitada emocionalmente. Quanto mais calma e relaxada ela estiver, melhor estará se sentindo, e mais facilmente poderá ouvir o que você tem a dizer.

Proteja a Auto-estima da Outra Pessoa

O que mais sofre como resultado de uma crítica é a auto-estima. Sua sócia poderia sentir que decepcionou você, a si mesma e à empresa de *design* gráfico; poderia sentir-se incompetente e julgar que os outros a culpam pelas falhas da empresa. Acima de tudo você vai querer proteger a auto-estima da sua sócia, para que o trabalho dela não seja prejudicado. A maneira de fazer isso é evitar afirmações que a menosprezem: "Você é um fracasso. Em matéria de relatórios é uma incompetente total. Simplesmente não consegue cumprir um compromisso!" Reforce a auto-estima dela com afirmações positivas: "Você é uma grande *designer*. Seu trabalho é maravilhoso. Aprecio realmente ter você como sócia." Ao fazer afirmações positivas você lhe permitirá constatar que pode modificar a situação. Se continuar acreditando ser incompetente ou fracassada, é provável que ela não consiga enxergar uma solução.

Enfatize os Aperfeiçoamentos

O propósito de sua crítica é que no futuro sua parceira cumpra seus compromissos; se você ficar martelando continuamente que ela deixou de cumprir os compromissos passados, ela vai começar a pensar que nunca conseguirá cumprir os futuros. Discuta com sua sócia como ela poderá trabalhar nos planejamentos e nas propostas daí em diante; isso vai indicar que você acredita que ela é capaz disso, o que vai ajudar a motivá-la — e também vai fazer com que ela saiba que você pretende continuar trabalhando com ela. A crítica orientada para o aperfeiçoamento provoca o nosso desejo de fazer o melhor possível, o que também vai servir como força de motivação.

Demonstre sua Preocupação

Ao longo de toda a conversa você deve indagar diretamente o que sua sócia está sentindo e pensando, para que ela saiba que você está preocupado com o bem-estar dela. Seu apoio e sua preocupação vão tranqüilizá-la, dando-lhe a certeza de que, sejam quais forem os erros que ela possa ter cometido, você não vai lhe dar as costas, mas está ali para ajudá-la.

Controle suas Emoções

Algumas vezes a crítica não é feita com a tranqüilidade desejada, apesar de nossos melhores esforços. A outra pessoa se torna extremamente defensiva: "O motivo por que não fiz o planejamento de vendas é que não tenho tempo para isso. Já tenho projetos demais me esperando. Sempre consigo terminar todas as minhas tarefas." Algumas vezes a defesa leva à raiva: "Além disso, que é que você está querendo, intrometendo-se no meu trabalho desse jeito? Quem você pensa que é?" Esta reação sem dúvida faria seu nível de raiva subir alguns pontos. Pratique as técnicas que aprendeu no Capítulo 3 para controlar suas emoções, desde o relaxamento até tirar uma folga, desde um diálogo interno construtivo até a consciência de suas atitudes.

Existem três estágios do processo de crítica, e para retirar mais benefícios desse processo você precisa estar preparado para cada um deles. Vai precisar estudar o que deve fazer antes da crítica, durante e depois.

Dicas para a Crítica Eficaz

Antes de Fazer a Crítica:

1. Identifique o comportamento que você está criticando. No exemplo anterior, a princípio esse comportamento poderia ser encarado como descumprimento de compromissos. Ao examinar essa abordagem você poderia constatar que sua sócia cumpre todos os outros prazos e compromissos. E poderia perceber em seguida que ela tem problemas para executar as tarefas escritas — o planejamento de vendas e a proposta.
2. Identifique por que isso é um problema. Você apontaria as falhas — ela não o ajudou a fazer esse planejamento de negócios e aquela proposta ao cliente. Você indicaria as conseqüências disso: ambas as tarefas ficaram atrasadas porque você teve que fazer tudo sozinho; tanto a proposta quanto o planejamento foram prejudicados pela falta do conhecimento e da experiência que ela tem; o relacionamento de vocês ficou sob tensão.

3. Procure a melhor maneira de apresentar a crítica. Você usaria o que sabe a respeito da personalidade da sua sócia para avaliar a melhor maneira de abordá-la com sua crítica. Você sabe que ela faz muita questão de parecer profissional em tudo que faz, de modo que não enfatizaria o que ela não fez mas o que faltou ao planejamento e à proposta como resultado da falta da contribuição dela. Você sabe o quanto a sociedade de vocês significa para ela, de modo que ao lhe mostrar que seu comportamento está comprometendo essa sociedade você vai ajudá-la a entender. Você sabe que ela odeia ser repreendida, de modo que procuraria apresentar a crítica como um problema a ser solucionado.
4. Faça uma lista das possíveis modificações. Em seguida você deveria determinar as mudanças que gostaria que fossem feitas, para poder incluí-las na conversa. Uma delas provavelmente seria que ela vá até o fim quando se comprometer a fazer alguma coisa, e para isso terá toda a ajuda necessária, ou então não se comprometa.

Durante o Processo da Crítica:

1. Deixe bem claro que você estará relatando suas próprias percepções. É uma boa idéia ressaltar no início que você está relatando suas percepções, que são, naturalmente, subjetivas. "Venho percebendo que você tem sentido dificuldade em cumprir suas obrigações com o planejamento de vendas; isto vem me causando vários problemas, porque tenho sido obrigado a fazer tudo sozinho, e não tenho capacidade para isso." Se em vez disso você disser, por exemplo: "Você não consegue cumprir suas obrigações" ou "Você não tem persistência", irá sugerir que se trata de fatos observáveis, indiscutíveis, insinuando, portanto, que qualquer mudança seria impossível.
2. Dê exemplos específicos para ilustrar o problema. Quanto mais específico você for, mais provável será que sua sócia entenda a extensão do problema e suas diferentes manifestações. Você poderia dizer: "Por exemplo, você não veio para a reunião que combinamos com o contador para examinarmos os números do ano passado. E não reuniu as informações que lhe pedi sobre seus projetos de *design*." Certifique-se de que os exemplos que usa visam ilustrar o comportamento em questão e não provar que você está certo e a outra pessoa está errada.
3. Não deixe de dar uma compensação positiva. Durante todo o tempo reconheça as coisas boas que sua sócia faz. "Sei que você sempre cumpre os prazos dos seus projetos e faz um trabalho maravilhoso." "Gosto tanto de trabalhar com você, ser seu sócio, dividirmos o negócio, que quero resolver qualquer coisa que seja problemática."
4. Reconheça a dificuldade da situação dela. Como você não quer que sua sócia sinta que está fracassando em algo que poderia corrigir facilmente, mostre-lhe que compreende por que ela está com proble-

mas. "Sei que aquele projeto de imagem empresarial em que você está trabalhando é muito absorvente e esse planejamento de vendas chegou em má hora. Reconheço também que redigir planejamentos e propostas talvez não seja o seu forte." Você estará mostrando empatia, o que torna mais fácil aceitar a crítica.

5. Procure indícios da reação dela. Observe as expressões faciais, a linguagem corporal e qualquer outro indício de como ela está reagindo ao que você está dizendo. Se constatar que ela parece perplexa, então pergunte se há alguma coisa que ela não esteja entendendo; se ela se mostrar irritada ou magoada, use uma afirmação do tipo "Eu percebo" para mostrar que reconhece o sentimento dela; se ficar bastante agitada, impossibilitada de entender realmente o que você está dizendo, então diga que você vai pensar sobre o que já foi discutido e sugira uma conversa outra hora para continuar o assunto — criando uma espécie de pausa para esfriar.

6. Estude as possíveis soluções. Uma boa maneira de ajudar sua sócia é estudar com ela possíveis soluções para o impasse (você pode rever as sugestões para a prática da resolução de problemas no capítulo sobre o controle das emoções). Desse modo ela não se sentirá sozinha e saberá que você está disponível para ajudá-la a superar essa situação. Você poderia sugerir que ela lesse um livro sobre redação de planejamento de vendas ou que seja mais seletiva quando assumir compromissos relativos a esse tipo de tarefa, aceitando apenas aqueles que pode cumprir.

7. Reitere os benefícios futuros. Já perto do final da conversa mencione e reitere os benefícios que sua sócia colherá se mudar a maneira de encarar seus compromissos. "Vamos trabalhar melhor em conjunto, os relatórios serão beneficiados com sua colaboração." Desse modo ela verá — caso tenha alguma dúvida — que você não está fazendo uma crítica descabida ou com o propósito de elevar sua própria posição dentro do relacionamento, e que tem em mente um resultado benéfico.

8. Termine em tom positivo. No final da conversa agradeça à sua sócia, repita que deve ter sido difícil para ela, diga-lhe quanto ganhou com essa nova compreensão e quanto você a aprecia e gosta de trabalhar com ela.

Depois da Crítica:

1. Arremate a conversa. A coisa mais importante a fazer depois de fazer uma crítica é arrematar a conversa. Pergunte à sua sócia como ela se sentiu com essa experiência, se ela tem mais alguma pergunta, se houve alguma coisa que ela não tenha entendido.

2. Avalie a eficácia das mudanças. Algum tempo depois, procure saber como ela vai indo com as mudanças que vocês estudaram, e até que ponto elas foram eficazes.

Pelo exemplo acima você pode ver que para que sua crítica seja eficaz você precisa caminhar bem no limite entre expressar suas preocupações e ter consciência de como elas estão afetando a outra pessoa. Como já vimos, para fazer isto você precisa colocar em ação todas as técnicas da inteligência emocional. Isto também acontece quando você recebe uma crítica, como veremos a seguir.

Como Receber uma Crítica

É difícil dizer qual é a posição mais incômoda: a de quem faz ou a de quem recebe uma crítica. Acho que a maioria das pessoas concordaria que fazer é mais difícil, porém receber é mais desagradável. O que pode ajudar é empregar a escuta dinâmica, controlar as emoções e usar técnicas de positividade. Eis algumas maneiras de tornar o mais proveitosa possível a condição de destinatário de uma crítica.

Dicas para Usar a Crítica Construtivamente

1. Reconheça que você vai aprender alguma coisa com essa crítica. Isto é essencial para tornar a experiência o mais produtiva possível. Se você entrar no processo sabendo que haverá um desfecho produtivo, é pouco provável que tenha medo e mais provável que se sinta confortável; você estará controlando suas emoções através de sua avaliação positiva da crítica.

2. Escute cuidadosamente antes de dizer alguma coisa. Vamos usar o exemplo dos dois sócios na pequena empresa de *design* gráfico, mas dessa vez você é o sócio que recebe a crítica. Presumivelmente você tem consciência do fato de que realmente deixou de cumprir suas obrigações em relação ao planejamento de negócios. Antes de responder escute cuidadosamente o que seu sócio tem a dizer. Se quiser fazer um lembrete de certas respostas, anote-as, para não precisar interromper. Deixe que ele fale tanto quanto for preciso.

3. Atente para suas emoções. É provável que algumas emoções estejam sendo despertadas — a vergonha de ter decepcionado a equipe, o constrangimento perante o sócio, frustração porque sua intenção (de fazer o relatório) e seus atos não caminharam juntos, e provavelmente um pouco de mágoa e até mesmo uma certa raiva. A primeira coisa a fazer é respirar fundo algumas vezes. Verifique se está fazendo algum raciocínio distorcido ("Sou um fracasso total", "Quem ele pensa que é, para falar assim comigo?") e livre-se dele através de um diálogo interno construtivo: "Estou perturbado porque é difícil ouvir críticas, es-

pecialmente alguém perfeccionista como eu. Mas vou pensar cuidadosamente no que meu sócio está dizendo, e vou tentar ficar calmo."

4. Assuma a responsabilidade pelos seus atos. Quando for sua vez de responder, em primeiro lugar assuma a responsabilidade pelos seus atos. Isso vai mostrar ao seu sócio que existem pontos de concordância — você reconhece que o problema existe — e que você não está na defensiva. "Sim, tem razão, não cumpri minhas obrigações com relação ao planejamento de vendas, e com certeza causei muitos problemas. E também com relação à proposta para o cliente."

5. Não caia na defensiva. Cuide para não ficar na defensiva e fazer uma lista de todas as suas razões para não ter cumprido suas obrigações; em vez disso, manifeste a disposição de aprender com a situação e aperfeiçoar-se: "Parece que tenho mesmo um problema em redigir esses relatórios. Eles sempre me bloqueiam. Talvez você possa me ensinar como fazê-los, para que na próxima vez eu não sinta tanta resistência."

6. Desative quaisquer filtros de escuta. Na seção da escuta dinâmica aprendemos que os filtros podem bloquear muitas informações importantes. Verifique se há em sua mente algum filtro funcionando; se houver, tente desativá-lo. E não deixe de fazer muitas anotações, para não perder coisa alguma.

7. Use afirmações de auto-revelação. Trata-se de uma situação em que você certamente vai querer que a outra pessoa saiba o que você está pensando e sentindo. Use afirmações interpretativas: "Acho que eu estava esperando que você simplesmente fizesse a minha parte." Use afirmações de sentimentos: "Estou me sentindo envergonhado e embaraçado por ter decepcionado você."

8. Use a positividade. Isso é particularmente útil numa situação em que a crítica não é inteiramente justificada e você precisa defender seus direitos, crenças e desejos. No exemplo anterior, você poderia usar a positividade para reforçar a mensagem de que odeia redigir relatórios, dizendo, talvez mais de uma vez: "Não gosto de redigir relatórios e acho que faço um péssimo trabalho com eles, mas gostaria de aprender."

9. Seja sensível ao que a pessoa que critica está sentindo. O que você está dizendo pode afetar seu sócio em nível emocional, mesmo sendo ele quem faz a crítica. Por exemplo: quando você lhe diz que se sente envergonhado e embaraçado, ele pode se sentir mortificado por ter lhe causado esses sentimentos. Estude os sinais indicadores daquilo que ele está sentindo e tente colocá-lo mais à vontade. Você poderia dizer: "Tudo bem que eu me sinta embaraçado e envergonhado. Não foi você quem me provocou esses sentimentos, e sim a minha própria incapacidade de lidar com a situação inicial."

10. Resuma as afirmações da outra pessoa. Se você não tem certeza do que a outra pessoa disse, use então a técnica que estudamos na seção sobre a escuta dinâmica: resumir o que foi dito. Isto vai ajudar a esclarecer qualquer mal-entendido.

11. Mostre-se disposto a mudar. A mudança é o desfecho que presumivelmente ambos desejam, portanto informe que você quer mudar: "Você apontou um problema que eu tenho com os relatórios, e eu realmente gostaria de conseguir fazê-los. Vamos estudar algumas maneiras para eu aprender". Isto poderá levar então a uma discussão das soluções possíveis.

Na próxima seção vamos examinar os meios para que tudo que você aprendeu neste capítulo seja utilizado em situações de grupo ou de equipe, onde a dinâmica muitas vezes é completamente diferente daquela das reuniões pequenas ou das interações entre duas pessoas.

A Comunicação de Grupo

O sucesso do funcionamento de uma equipe, um departamento ou um grupo tem relação direta com a eficácia da comunicação entre seus membros nas situações de grupo. Todos nós já participamos de reuniões que pareciam mágicas — quase se podia sentir um fluxo de energia enquanto as pessoas compartilhavam idéias, reviam sugestões, incentivavam-se mutuamente com o seu entusiasmo, ofereciam soluções úteis e criativas — e de onde saímos sentindo que o departamento era maravilhoso e cada membro da equipe era precioso.

Também já estivemos em reuniões em que uma só pessoa dominava o debate, os participantes menosprezavam impiedosamente as idéias alheias, a maioria tinha medo de dizer alguma coisa, a discussão corria em círculos sem se chegar a resultado algum e todos saíram sentindo-se frustrados e isolados.

O que provavelmente fez a diferença entre a primeira reunião e a segunda é que, na primeira, uma ou mais pessoas usaram a inteligência emocional para manter a reunião num curso positivo e progressivo. Embora em geral o líder da equipe — o chefe do departamento ou o gerente do grupo — seja a pessoa responsável pelo tom e pela curso da reunião, isto é também responsabilidade de cada um, pois trata-se de um trabalho de equipe.

Você usa sua inteligência emocional em situações de grupo utilizando e incentivando as afirmações de auto-revelação usando e incentivando a escuta dinâmica, praticando a resolução de problemas, usando a positividade e a crítica quando conveniente. A comunicação de equipe assim aperfeiçoada irá permitir que o grupo resolva problemas, gere planejamentos produtivos e compreenda melhor como trabalhar em grupo de maneira mais eficaz.

Como Incentivar uma Comunicação de Grupo Produtiva

Embora muitas das técnicas para uma comunicação de grupo eficaz sejam as mesmas que você usa quando conversa com apenas uma pessoa, na maioria delas a prática é mais difícil numa situação de grupo. A auto-revelação pode ser bastante penosa quando se está cara a cara com outra pessoa, mas quando você enfrenta 10, 20 ou mais pessoas, o desejo de exprimir seus pensamentos e sentimentos pode desaparecer num piscar de olhos. No entanto, a auto-revelação talvez seja ainda mais importante numa reunião de equipe, pois há tantas pessoas envolvidas que se torna mais difícil do que numa conversa de duas pessoas identificar os indícios daquilo que alguém está pensando ou sentindo, a não ser que a pessoa se expresse verbalmente. Nesta seção vamos estudar alguns meios de incentivar uma comunicação de grupo produtiva.

Use e Incentive a Auto-revelação.

Às vezes a melhor maneira de incentivar as pessoas a fazer alguma coisa — principalmente quando não se trata de algo que elas façam com prazer — é fazê-la você mesmo, mostrando-lhes como se faz, na esperança de que sigam seu exemplo. É o que chamamos de "modelo". Suponhamos que você está numa reunião e alguém acaba de expor um plano para fundir o seu departamento com outro; os participantes da reunião fazem muitas perguntas sobre a mecânica dessa fusão e coisas específicas a respeito do que o outro departamento faz. O tom de algumas dessas perguntas parece um pouco hostil, de modo que você sente que as pessoas têm dúvidas e temores mas têm medo de expressá-los. Portanto você poderia declarar: "Vou lhes dizer o que eu penso: eu penso (afirmação interpretativa) que fundindo o *marketing* de produtos com a mala direta conseguiremos ficar muito mais eficientes, porque poderemos compartilhar os recursos e não duplicar o trabalho, como temos feito. O que eu gostaria de ver (afirmação de intenção) é isso ocorrer da maneira mais tranqüila possível, sem que ninguém perca o emprego." É de se esperar que as outras pessoas comecem a expor seus pensamentos e expectativas; se isso não acontecer, faça perguntas: "O que vocês acham da fusão dos dois departamentos?" ou "Que é que você gostaria que acontecesse com o seu cargo?".

Você deseja que eles exponham seus sentimentos, porque o tom hostil sugeriu que eles têm raiva e medo; assim, para incentivá-los a manifestar seus sentimentos, você poderia dizer: "Sinto-me um pouco triste porque nosso departamento não será mais o mesmo." Se ninguém mais se dispuser a revelar seus sentimentos, você poderia fazer mais algumas perguntas: "Como vocês se sentem em relação a essa fusão?"; se as pessoas permanecerem reticentes, você poderia tentar perguntas mais específicas: "Vocês têm medo de perder o emprego?", "Vocês se sentem inseguros? Felizes? Ressentidos? Perturbados?".

Pratique e Incentive a Escuta Dinâmica

A fusão dos departamentos é uma situação potencialmente angustiante para os membros da sua equipe, de modo que eles talvez não tenham condições de expressar com perfeita coerência seus pensamentos e sentimentos. Nesse ponto seria proveitoso resumir o que eles disseram: "Você está dizendo que acha que essa fusão vai ajudar o outro departamento mas não o nosso, e tem medo que todas as demissões aconteçam no nosso departamento?". Isso vai ajudar a outra pessoa a esclarecer o seu pensamento e vai permitir que os outros entendam o que ela estava querendo dizer; além disso, se seu resumo estiver incorreto, você terá dado à outra pessoa a oportunidade de corrigi-lo.

Suponhamos que uma pessoa diga: "Bem, tenho muitas dúvidas. Prefiro as coisas como eram. Não conheço ninguém nesse novo departamento. E se não gostarmos de trabalhar juntos?". O que essa pessoa realmente parece estar dizendo é: "Eu me sinto confuso e abalado." Então, para indicar a ele que você compreende o subentendido emocional daquilo que ele está comunicando, você poderia dizer: "Percebo que você está se sentindo confuso e abalado." Isso não apenas dá oportunidade para ele expressar o que está sentindo, mas também mostra que você se preocupa com os sentimentos dele.

Pratique a Resolução de Problemas

Bem, você definitivamente parece ter nas mãos um problema: muitas pessoas têm dúvidas sobre essa fusão. De modo que você diz: "Certo, temos um problema. Algumas pessoas não estão satisfeitas com essa proposta. Então o que vamos fazer sobre isso?" Em seguida você abre espaço para uma prática de resolução de problemas: "Muitas pessoas acham que a fusão nos tornará menos eficientes. Vamos examinar o lado bom e ruim da fusão, e se for necessário vamos procurar uma solução alternativa." No último estágio você sugeriria uma sessão de *brainstorming* para buscar uma solução alternativa. A prática da resolução de problemas ajuda as pessoas do grupo a sentir que estão trabalhando juntas, em equipe, e além disso permite que cada um encontre planos alternativos que você poderá apresentar à diretoria da empresa.

Use a Positividade e a Crítica Quando Necessário

Suponhamos que na reunião de sua equipe sua opinião seja diferente da maioria; você vai precisar usar a positividade para apresentar seus pensamentos, suas crenças e opiniões, seguindo os passos que estudamos no início deste capítulo. Se você é o líder da equipe e uma pessoa está manifestando positivamente sua opinião, que difere da maioria das outras, você poderia apoiá-la fazendo com que ela não seja interrompida ou até mesmo fazendo-lhe perguntas que ajudem a fazer fluir a positividade dela ("Que fatores levaram você a adotar essa posição? Poderia esclarecer seus motivos?").

Vamos dizer que você está participando de uma reunião diferente — com sua equipe editorial e algumas pessoas dos departamentos de design e de *marketing*; o livro que deveria ter sido o primeiro lançamento da temporada de outono atrasou e perdeu o prazo. O grupo está discutindo o que saiu errado. Você é o diretor editorial, e diz ao editor: "Michael, parece-me que você está sendo mole demais com os autores no que se refere a prazos e datas. A mesma coisa aconteceu há dois anos." O momento e o local para esta crítica são apropriados: você está tentando determinar aquilo que fez atrasar a publicação do livro, de modo que aí caberia uma crítica, desde que ela proteja a auto-estima da pessoa, vise o aperfeiçoamento e siga as orientações já enumeradas.

Numa reunião como essa poderia haver uma farta distribuição de críticas: "Marianne (*designer*), acho que seu *design* ficou complicado demais para ser produzido a tempo"; "Ellen (gerente de *marketing*), nós lhe dissemos que seria duvidoso conseguir fazer o livro dentro do prazo, mas você insistiu que devíamos lançá-lo no outono". Presume-se que todas as afirmações sejam ilustradas e que sejam seguidas de outros procedimentos de crítica. Para que a reunião não se transforme numa sessão de culpa, mantenha as críticas orientadas para o aperfeiçoamento: "Como podemos tornar nosso processo mais eficiente?"

Percebe-se claramente que as críticas construtivas feitas reciprocamente permitiriam ao grupo aprender como reduzir o número de prazos descumpridos, trabalhar melhor em conjunto e comunicar-se com mais eficácia.

Em seguida veremos alguns meios específicos de facilitar a comunicação eficaz entre os membros sua equipe, seja você o líder ou não.

Dicas para uma Comunicação de Grupo Eficaz

1. Seja abrangente. Ao falar, dirija-se a todos, percorrendo o aposento com o olhar. Não olhe para uma pessoa apenas; observe as reações de todos, às vezes pedindo a opinião de diferentes pessoas.

2. Reprima o predomínio. Não permita que uma pessoa domine a discussão, pois isso às vezes inibe a manifestação de outras pessoas. Você pode dizer educadamente: "James, vamos dar a outra pessoa a oportunidade de falar."

3. Ofereça apoio. Ofereça um reconhecimento positivo. As pessoas adoram ouvir: "É realmente uma boa idéia", ou "Você certamente estudou bastante o assunto", ou ainda "Seus argumentos me parecem bastante convincentes". Mesmo que você discorde, às vezes é uma boa idéia começar dizendo: "Sei que você pensou bastante sobre isso, mas o que acha de...?"

4. Mantenha o tom emocional num nível controlável. Algumas reuniões têm um potencial maior de instabilidade emocional. Aquelas que põem em questão a segurança do emprego ou o desempenho, de maneira geral pertencem à categoria de instabilidade mais alta. Se as pessoas estão começando a gritar ou a fazer afirmações irracionais, você poderia comentar que a situação está ficando um pouco tensa e talvez um intervalo de 10 minutos fosse bem-vindo. E poderia fazer perguntas que levassem o debate a uma direção menos emocional por algum tempo.

5. Abra espaço para a discordância. Através da discordância muitas vezes aprendemos mais do que através da concordância. Nos grupos é freqüente haver uma tendência à concordância, verdadeira ou não,

porque ela parece mais segura. Porém a discordância pode ser produtiva. Banque o advogado do diabo.

6. Preste atenção na participação e nas reações de cada membro do grupo. Se perceber que uma pessoa está quieta, em silêncio, você poderia tentar puxar por ela de um modo que não a deixasse constrangida. Se perceber que uma pessoa está ficando irritada — talvez a crítica dirigida a ela não tenha sido feita com muita sensibilidade —, então você poderia intervir para proteger os sentimentos dela.

Como Reunir Todas as Técnicas de Comunicação

O objetivo da comunicação é unir as pessoas com o propósito de trocar informações de qualquer natureza. Neste capítulo estudamos como a inteligência emocional trabalha para dar a maior eficácia possível às suas interações com os outros. Desde escutar até revelar, da assertiva à crítica, vimos como o uso da sua autoconsciência e o controle de suas emoções podem fazer a diferença entre um desfecho bem-sucedido e um final infeliz.

No próximo capítulo suas técnicas de comunicação entrarão em ação, à medida que você aprender a desenvolver a destreza interpessoal que permitirá que seus relacionamentos sejam o mais produtivos possíveis.

5

Como Desenvolver a Destreza Interpessoal

Os formulários de avaliação de desempenho costumam ter uma parte que analisa "o bom relacionamento com os outros" — tamanha a importância dessa qualidade no ambiente profissional, onde o relacionamento com outras pessoas muitas vezes constitui a maior parcela daquilo que se faz durante o dia. Mesmo se o seu trabalho é ficar sentado fazendo registro de dados, você recebe instruções do seu supervisor, responde às perguntas de colegas do departamento de coleta de dados, precisa recolher seus dados com alguém e de vez em quando participa de reuniões do departamento — atividades que o levam a relacionar-se com outras pessoas. Um funcionário pode ser muito inteligente e esforçado, além de bem-informado na sua área, mas se carecer de destreza interpessoal ele provavelmente não irá durar muito num emprego onde precisará lidar com outras pessoas.

Relacionar-se com outras pessoas significa aproximar-se delas para trocar informações através de meios significativos e adequados; o elemento necessário para isso é a destreza interpessoal. Neste capítulo vamos estudar as duas técnicas que levam à destreza interpessoal. A primeira é a capacidade de analisar um relacionamento, o que lhe permitirá utilizar as características intrínsecas do relacionamento para benefício dele próprio, além de ajudá-lo a cursar uma rota produtiva dentro do relacionamento. A segunda técnica é a aptidão para comunicar-se nos níveis adequados para que a informação seja trocada de maneira eficaz. Mas antes de estudarmos essas técnicas precisamos aprender em que consiste um relacionamento.

Os Componentes de um Relacionamento

Seja qual for o tipo de relacionamento — entre você e seu chefe, você e sua secretária, você e seus colegas, clientes ou fregueses —, ele cobre três áreas básicas:

1. Suprir as necessidades mútuas
2. Relacionar-se um com o outro ao longo do tempo
3. Trocar informações sobre sentimentos, pensamentos e idéias

A seguir estudaremos cada uma dessas áreas.

Como Suprir as Necessidades Um do Outro

As pessoas entram nos relacionamentos com o propósito de suprir algumas de suas necessidades: você estabelece um relacionamento com sua colega da sala ao lado porque ela lhe passa informações e conselhos úteis, o propósito do seu relacionamento com o funcionário da expedição é garantir que seus pacotes sejam prontamente expedidos, seu relacionamento com os clientes serve para conservar sua posição na empresa — sem clientes não há emprego. Mas se apenas suas necessidades forem supridas, o relacionamento irá sofrer como conseqüência, e talvez até termine de vez; a fórmula para estabelecer um relacionamento sólido e produtivo é a reciprocidade: cada um se esforça para suprir as necessidades do outro. No capítulo sobre a motivação vimos como a reciprocidade é importante, pois sem ela o relacionamento se torna explorador.

No caso da sua colega, se você repetidamente lhe pede conselhos sobre a maneira de abordar o chefe ou sobre os dados a incluir no memorando que lhe pediram para redigir, no entanto deixa sem resposta os pedidos dela de ajuda com o computador, é muito provável que ela finalmente retire seu apoio e cesse os conselhos. A base do relacionamento é: ela contribui para suprir suas necessidades dando-lhe conselhos e você ajuda a suprir as dela auxiliando-a no computador. Se vocês pararem de fazer isso um pelo outro, a base do relacionamento irá ruir.

Nem sempre é fácil identificar as necessidades das outras pessoas. Naturalmente, a vantagem de consegui-lo é você ficar sabendo o que precisa fazer para ajudá-las a suprir essas necessidades.

Vejamos o exemplo do funcionário do departmento de expedição: você depende dele para dar um jeitinho de expedir seu pacote nas muitas vezes em que você chega cinco minutos depois do fechamento do malote. Você aprendeu, ao longo desses episódios, que ele fica feliz quando você se desculpa profusamente pela inconveniência que está causando e demonstra gratidão, afirmando que ele salvou sua vida.

Você poderia tomar como princípio que as necessidades dele no relacionamento devem ser respeitadas (o que você faz ao pedir desculpas) e valorizadas (o que faz ao mostrar gratidão). Às vezes o método da tentativa e erro é a única maneira de ficar sabendo quais são as necessidades de uma pessoa.

A escuta dinâmica pode contribuir, também. Pergunte a si mesmo: "O que esta pessoa está realmente dizendo? O que ela realmente quer?"; preste atenção às informações de intenção; atente para o subentendido emocional do que ela está dizendo. Imagine-se no lugar dela e pergunte-se o que você poderia precisar. Solidarize-se.

Um modo bem direto de avaliar as necessidades de uma pessoa é perguntar. Vamos dizer que você é o novo advogado no seu escritório e tem recorrido a uma colega para orientá-lo nos primeiros meses, explicar como as coisas funcionam ali, quem faz o quê; nessa situação, suas necessidades são: receber ajuda para aprender os segredos e fazer a transição para sua nova posição da melhor maneira possível. Você reconhece que quem está suprindo necessidades é apenas o outro lado: ela. Mas você não tem idéia de quais sejam as necessidades dela. Você poderia dizer: "Eva, você tem sido tão generosa em me ajudar; posso fazer alguma coisa por você? Há algum favor que eu possa lhe prestar?" Você poderia até mesmo dar algumas sugestões: "Eu sou muito rápido para corrigir textos, ou posso ajudá-la a se preparar para seu próximo julgamento. Quais são as suas necessidades?"

Identificar e responder às necessidades dos outros é especialmente importante em situações que exigem a resolução de conflitos e o consenso. Suponhamos que dois empregados que você chefia estão disputando um trabalho que acabou de surgir; ambos se mostram muito sensíveis um com o outro nas reuniões, e tentam conquistar seu apoio. Como chefe emocionalmente inteligente, você sabe que precisa chegar a uma decisão que ambos achem razoável, e para isso precisa descobrir quais são as necessidades deles.

Assim, você conversa com cada um deles individualmente e pergunta por que ele quer trabalhar no projeto, de que forma isso atenderá suas necessidades. Jeremy diz que quer porque é exatamente o tipo de trabalho que ele gosta de fazer; Daphne, por sua vez, quer porque acha que é um modo de progredir dentro da empresa. Uma vez identificadas as necessidades deles, você poderá resolver o conflito com mais facilidade, pois sabe quais são as questões reais — e freqüentemente elas não são incompatíveis. Neste exemplo, você sugere que Jeremy e Daphne trabalhem juntos no projeto, com Daphne à frente.

O Relacionamento ao Longo do Tempo

Um aspecto importante dos relacionamentos é que eles têm continuidade, existem durante um período de tempo. Você não diria que tem um relacionamento com o fornecedor de papel com quem você falou por telefone uma vez nos últimos três anos, mas diria que tem um relacionamento com a cliente com quem se encontra uma vez por mês.

A continuidade do relacionamento lhe possibilita conhecer a outra pessoa em situações e circunstâncias diferentes. Você vê sua cliente com o chefe dela, sem o chefe, quando ela está de bom humor, quando não está, quando está inteiramente concentrada, quando está um pouco distraída; cada experiência lhe dá mais pistas de quem ela é, e essa informação pode ajudá-lo a relacionar-se melhor com ela. Vamos dizer que sua cliente parecia um pouco implicante e mal-humorada quando você a conheceu; ao longo de diversas reuniões você teve a oportunidade de vê-la interagir com você e com outros e constatou que ela pode ser bastante simpática e também engraçada. Mas esse lado só se revelou depois que vocês dois desenvolveram uma relação.

Esse relacionamento precisa ser desenvolvido. Ele exige confiança e apoio, e ambos precisam ser nutridos. É ele que lhe permite saber hoje que quando sua cliente se atrasa, não é um sinal de desrespeito, mas de excesso de trabalho. Você e ela se sentem tão à vontade em sua comunicação que confiaram um ao outro certos detalhes a respeito de suas respectivas empresas, numa troca de informações que permite a cada um fazer melhor seu trabalho. O indivíduo emocionalmente inteligente aprende em cada encontro de um relacionamento e utiliza o conhecimento ganho para tornar as trocas seguintes tão produtivas quanto poderiam ser.

Como Compartilhar Sentimentos, Pensamentos e Idéias

Relacionar-se com outra pessoa ultrapassa em muito a simples troca de informações factuais — as mais recentes cifras de vendas, o nome de um profissional — e abrange a troca de informações a respeito de sentimentos, pensamentos e idéias da pessoa. Esta troca é um processo interativo: o que você revela tem um impacto na pessoa que está escutando, e esse impacto vai afetar o modo como essa pessoa reage a você, e vice-versa; estando consciente dessa interatividade, você aprende a antever as reações que sua revelação poderia provocar e alterá-la para que ela beneficie o relacionamento.

Digamos que seu chefe, com quem você está trabalhando há vários anos, ultimamente tenha se mostrado ríspido e lacônico; você não tem certeza se ele está consciente disso, de modo que resolve revelar-lhe seus sentimentos e pensamentos a respeito do assunto. Sabe que seu chefe odeia quando alguém tenta encontrar desculpas pessoais para seu comportamento; assim, embora suspeite que ele está impaciente porque anda tendo problemas com a esposa, você não irá mencionar isto, porque a reação provavelmente não seria aquela que você está esperando.

Portanto, em vez disso você diz: "Jack, você sabe que temos nos dado muito bem ao longo desses três anos; sempre fomos capazes de falar abertamente um com o outro" — assim você está reiterando a confiança que têm um no outro, convidando-o a expressar o que ele está sentindo. "Ultimamente você tem sido um pouco ríspido comigo, e está me magoando. Pode ser que você nem perceba" — sem o desafiar nem acusar, você está informando o efeito que o humor dele está tendo sobre seus sentimentos. Ele poderia dizer: "Poxa, eu não tinha consciência disso. Sinto muito ter feito você se sentir assim"; então, como deseja que ele fale mais, você poderia dizer: "Eu estava pensando se fiz alguma coisa errada, ou alguma coisa que o irritou e você está constrangido de me dizer." Estas afirmações exigem uma resposta, e ele poderia dizer: "Meu mau humor não tem nada a ver com você."

Como ele não gosta de tocar em assuntos pessoais, é provável que não passe daí. Mas você informou que o humor dele o está afetando, e sabendo disso ele pode muito bem mudar seu comportamento. Se você não tivesse exposto esses pensamentos e sentimentos, seu chefe poderia não ter a menor idéia do que estava errado, e a situação permaneceria a mesma.

Se você não tivesse antevisto algumas das reações de seu chefe, a conversa poderia ter tomado um rumo muito diferente. Suponhamos que você tivesse dito o seguinte: "Jack, o seu mau humor está me fazendo mal.

Parece que estou pagando pelos seus problemas de família, e não estou gostando disso"; desafiado e repreendido, Jack provavelmente teria reagido de maneira hostil, e seu humor poderia até piorar.

Ao antever a natureza de causa-e-efeito do ato de compartilhar informações, especialmente ao expor seus pensamentos e sentimentos, você se torna capaz de orientar o relacionamento numa direção positiva, aprender com a experiência a melhor maneira de revelar seus pensamentos e sentimentos, e crescer no relacionamento. Eis algumas formas de compartilhar seus pensamentos e sentimentos da maneira mais positiva possível.

Dicas para Compartilhar Pensamentos, Sentimentos e Idéias

1. Mantenha um bom estado de espírito. Se você mantiver um bom estado de espírito, se estiver de bom humor, conseguirá ser receptivo ao que a outra pessoa está dizendo, sua mente estará mais clara para reagir eficazmente e você estará em melhores condições de controlar as emoções. No exemplo anterior, não aborde seu chefe se você estiver se sentindo extremamente magoado ou ressentido; espere até que esses sentimentos tenham abrandado.

2. Atente para as reações da outra pessoa. Quanto mais você puder avaliar como a outra pessoa está reagindo ao que você está dizendo — que sentimentos em particular você está provocando —, melhor poderá determinar como prosseguir. Sua avaliação irá ajudá-lo a decidir aquilo que deve e aquilo que não deve ser conversado, e como deve se desenrolar a conversa.

3. Dê à conversa um tom positivo. Se você começar a conversa com Jack falando do bom relacionamento dos dois e da franqueza que podem ter um com o outro, você o coloca num estado de espírito positivo, de modo que é provável que ele seja mais receptivo ao que você está dizendo. Você estará usando a emoção para facilitar o pensamento.

4. Mencione quaisquer sensações de desconforto. Ao conversar sobre uma sensação de desconforto você poderá controlar melhor essa sensação e levar a conversa para um lado mais agradável. No exemplo acima, depois de dizer a Jack que a rispidez dele o estava deixando magoado, você poderia perguntar o que ele sentiu ao ouvir você dizer isso — dando-lhe assim a oportunidade de expressar seus sentimentos de desconforto.

Alguns dos pensamentos e sentimentos que compartilhamos no local de trabalho nada têm a ver com a tarefa em questão; podem versar sobre um jantar horrível num restaurante da moda, seu cachorro que engoliu uma bola de gude e teve que ser levado às pressas para o veterinário, sua opinião sobre os métodos de apuração de votos na próxima eleição, o torneio de tênis que sua filha venceu, sua opinião sobre o último filme de Martin Scorsese. Embora essas conversas não ajudem a preencher as folhas de pagamento ou a redigir o memorando, elas têm um papel precioso: contribuem para criar um relacionamento melhor com a outra pessoa. Ao compartilhar seus pensamentos e sentimentos a respeito de assuntos alheios ao trabalho você acumula confiança e intimidade, que terminarão por permitir que vocês trabalhem juntos mais produtivamente e — presume-se — mais prazerosamente.

Pense como seu relacionamento com os colegas, entre eles alguns com quem você nunca tinha sequer conversado, melhorou depois do piquenique da empresa; você os viu com cônjuges e filhos, num ambiente diferente, bateu papo com eles a respeito de assuntos extraprofissionais — alguns frívolos, alguns importantes — e na volta ao trabalho você sente um certo vínculo com eles. O mesmo acontece quando você, enquanto toma um cafezinho, faz uma pausa para conversar com Carl a respeito da partida de futebol da noite anterior e do filho dele que está jogando num time juvenil. Essas trocas de informações, embora não sejam ligadas ao trabalho, também fazem parte de seus relacionamentos.

Agora que estudamos as coisas que formam um relacionamento, vamos ver como analisar um relacionamento.

Como Analisar um Relacionamento

A boa notícia: você não precisa ser psiquiatra. Analisar um relacionamento significa examiná-lo a partir de perspectivas diferentes, para que você possa mapear o melhor curso de ação, seja para um encontro específico ou para um relacionamento a longo prazo. O requisito para a prática dessa análise é sua consciência dos sentimentos, estados de espírito e necessidades da outra pessoa, bem como sua avaliação de diferentes situações. Os passos para analisar um relacionamento são:

1. Conhecer os limites do relacionamento.
2. Levar em conta as expectativas do relacionamento.
3. Examinar suas percepções da outra pessoa.

4. Averiguar a percepção que a outra pessoa tem de você.
5. Examinar determinados diálogos.
6. Determinar os resultados desejados de cada relacionamento.

Em seguida vamos examinar cada um destes passos.

Conheça os Limites do Relacionamento

Os limites do relacionamento não costumam ser mencionados; você não sabe que eles existem até transgredi-los e ser acusado disto. Tomemos o exemplo do seu chefe Jack, que lhe fez saber que as desculpas pessoais não têm vez nos relacionamentos profissionais; é provável que haja conseqüências para quem ultrapassar esse limite: o desprazer e talvez até o ressentimento de Jack. Se não foi você quem estabeleceu os limites, não terá o poder de modificá-los — e isto pode ser difícil de aceitar.

A pessoa emocionalmente inteligente respeita os limites do relacionamento, mas procura maneiras de contorná-los. A conversa com Jack é um bom exemplo disto. Você não mencionou os problemas conjugais de Jack, tampouco aprofundou-se no assunto perguntando: "Então, afinal, o que está lhe levando a agir assim?" quando ele disse de passagem: "Meu mau humor nada tem a ver com você." Formulando perguntas que contornavam os limites você obteve o que desejava da conversa: que Jack compreendesse que o mau humor dele estava lhe afetando.

Algumas vezes você não consegue contornar um limite, que fica então parecendo uma verdadeira barreira a um relacionamento produtivo. Suponhamos que você sentiu dificuldades em estabelecer um bom entendimento com Jack por causa do princípio que ele tem de não misturar problemas pessoais com trabalho; você poderia tentar conversar diretamente sobre isso. Vamos dizer que seu filho começou a andar com a turma errada na escola e foi flagrado roubando numa loja; você o colocou de castigo e não confia nele, de modo que não apenas tudo isto está lhe provocando muita ansiedade como também você telefona para casa várias vezes por dia.

Se você pudesse explicar a Jack o que está acontecendo, é de se esperar que ele se mostrasse solidário e procurasse meios de dispensar a sua presença em algumas reuniões para que você pudesse ir atrás de seu filho; o que você poderia fazer nessa situação é dizer a Jack: "Escute, sei que você odeia quando as pessoas trazem problemas de casa, mas tenho uma coisa realmente séria para lhe contar a respeito de algo que está acontecendo em minha casa, e seria muito importante para mim você permitir que eu lhe conte." Se Jack for um homem razoável, é de se presumir que ele concordará. Se não for, e não concordar, então você poderia perguntar a si mesmo até que ponto se sente bem nesse relacionamento, e qual é a importância que você dá à receptividade; se esse relacionamento o deixa pouco à vontade, se não está suprindo suas necessidades, então pode ser a hora de procurar outro cargo na empresa — mas só depois de ter feito todos os esforços para consertar aquilo que você está achando errado.

Leve em Conta as Expectativas do Relacionamento

Muitas vezes exigimos de um relacionamento mais do que seria razoável esperar — você quer que sua chefe lhe ensine tudo que sabe, que sua secretária consiga ler sua mente, que seu cliente o mantenha informado todos os dias. Quando nossas expectativas ultrapassam aquilo que a outra pessoa tem condições de fazer, ficamos decepcionados e frustrados, e às vezes ressentidos — emoções que tendem a agir contra um relacionamento produtivo. Examinando experiências anteriores e procurando a orientação de outros, podemos muitas vezes examinar nossas expectativas com base na realidade.

Suponhamos que você espere que seu representante de vendas (que trouxe excelentes recomendações) lhe traga pedidos que excedam tudo que sua equipe conseguiu atingir; para avaliar se sua expectativa é realista, você pode olhar para trás ou prever o futuro. Mesmo que seu novo vendedor tivesse conseguido encomendas de um milhão de dólares no antigo emprego, as circunstâncias eram muito diferentes. Além disso, seus outros vendedores jamais conseguiram trazer pedidos de um milhão de dólares, apesar de todo o esforço deles. Portanto você poderia tomar como certo que suas expectativas não eram realistas e que seria preciso revê-las para preservar o bom relacionamento entre você e seu vendedor.

Algumas vezes é útil aconselhar-se com outra pessoa, pois raramente conseguimos ser suficientemente objetivos num relacionamento. Vamos dizer que a expectativa ao aceitar seu trabalho atual era de que sua chefe lhe ensinaria tudo que sabe; mas até agora ela pouco fez nesse sentido, e você está extremamente decepcionado. Assim, pergunta a uma colega o que ela acha; ela poderia dizer que a chefe acabou de acumular dois cargos e provavelmente dispõe de pouco tempo para ser sua "professora". Mas você poderia pensar em consultar sua chefe quando alguma coisa não estiver clara ou quando achar que poderia trabalhar melhor com uma pequena orientação, se ela tiver alguns minutos para lhe explicar como fazer sua lista de telefonemas de recusa, por exemplo.

Examine suas Percepções da Outra Pessoa

Isto requer que você use as técnicas de avaliação que estudamos no Capítulo 1. Sabemos que as nossas avaliações são influenciadas pelos vários fatores que formam nossa personalidade: o histórico familiar, as experiências anteriores, as habilidades e inclinações naturais, os sistemas de crença e outros. Ao examinar a maneira como percebe os outros, você precisaria perguntar-se se está sendo tão objetivo quanto possível ou se esses fatores o levam a ver a outra pessoa de modo preconceituoso.

Suponhamos que você está tendo problemas de relacionamento com sua assistente: ela não faz o que você lhe pede e não o procura para pedir orientação. Então você se pergunta quais as percepções que tem dela; francamente, você acha que ela não está à altura do cargo, e é um pouquinho arrogante. O seu assistente anterior, George, era ótimo. Se você olhasse com imparcialidade para o que George fazia e o que ela faz, perceberia que não há muita diferença; no entanto, você acredita que em geral os homens trabalham melhor do que as mulheres, e isto o impede de ver Ellen como ela é na realidade: uma assistente razoavelmente competente que ainda está aprendendo o novo trabalho. Quanto ao motivo de Ellen não vir lhe pedir orientação, você poderia se dar conta de que não é exatamente o tipo atencioso e disposto a colaborar; talvez seja por isso, não por arrogância, que ela não lhe pede ajuda.

Como você pode ver, ao examinar em detalhes sua percepção de outra pessoa você ganhará preciosos vislumbres que poderá usar para ajudar a manter o relacionamento no seu melhor curso. Você aprenderá sobre a outra pessoa, sobre si mesmo e sobre o próprio relacionamento.

Conheça a Percepção que a Outra Pessoa Tem de Você

Assim como você tem certas opiniões e expectativas sobre as outras pessoas, elas têm suas percepções de você. O modo como elas o percebem costuma afetar o modo como reagem a você; se você é percebido como competente e preparado, então é mais provável que a outra pessoa aceite e reaja favoravelmente ao que você disser; se é percebido da maneira oposta, então é provável que suas idéias sejam questionadas.

Às vezes a única maneira de ter certeza das percepções e expectativas que as outras pessoas têm de você é analisar as reações que você provoca nelas. Suponhamos que você tenha a tendência a opinar demais nas reuniões; um modo de perceber isso é quando seu chefe diz, depois de você ter dado sua opinião pela centésima vez: "Já escutamos todas as suas opiniões, vamos escutar o que outras pessoas têm a dizer."

Outra maneira de descobrir é perguntar a alguém. Digamos que você suspeita que opina demais, porém ninguém lhe falou coisa alguma e você não reparou nas caretas quando mais uma vez interrompeu para dar sua opinião. Então pergunte a um colega: "Tenho uma coisa um pouco delicada para lhe perguntar, mas quero uma resposta franca: dou opiniões demais?"

Caso a resposta da pessoa ou o desfecho do diálogo não lhe agradem, você poderia considerar isso um indício necessário para lhe mostrar o que poderá ser feito para alterar a percepção que as pessoas têm de você. Dizer: "Eu sou assim mesmo" não vai beneficiar seus relacionamentos. Mas se tentar reprimir alguns dos seus comentários, ou pedir a opinião de outras pessoas, estará agindo para que elas tenham de você uma impressão mais favorável, o que vai tornar mais produtivos seus relacionamentos.

Às vezes você dispõe de pouca informação como base para avaliar a percepção que uma pessoa tem de você. Isso acontece especialmente no primeiro encontro daquilo que você espera ser um longo relacionamento. É justamente nesse momento que você gostaria que as percepções que a pessoa tem de você fossem extremamente favoráveis. Vamos dizer que você vai conhecer um cliente em potencial; ouviu dizer que ele é muito exigente, faz questão dos mínimos detalhes e insiste em fazer as coisas a seu modo. Para ajudar a garantir que vai causar uma impressão favorável, você deveria ir ao encontro muito bem preparado, com todas as informações na ponta da língua. Sabendo que ele gosta de fazer as coisas a seu modo, você não discutiria com ele a respeito das coisas sobre as quais discordam; em vez disso, você poderia mais tarde enviar-lhe documentação apoiando sua posição, com um bilhete dizendo: "Achei que você teria interesse em ver isto."

Analise Determinados Diálogos

Às vezes a melhor maneira de entender um relacionamento é vê-lo através de um diálogo específico entre você e a outra pessoa, e rever o diálogo como se fosse um observador imparcial, não um participante. Em essência, o que você fará é repassar a conversa em câmara lenta, congelando a imagem nos momentos mais significativos para poder vê-la melhor.

Digamos que você normalmente tem um relacionamento muito produtivo e prazeroso com sua colega, mas ultimamente vem sentindo certa tensão entre os dois; então, para ver se encontra alguma pista, você revê a última conversa que teve com ela, na qual estudaram o lançamento do novo *software* de *modem* no qual você está trabalhando. Vocês contaram um ao outro aquilo que vinham fazendo; ela ficou um pouco contrafeita quando você perguntou se ela ia conseguir terminar a tempo sua parte do protótipo. Você se lembra da impaciência que sentiu quando ela revelou que estava atrasada no trabalho; você deve ter passado isso para ela. E quando estavam conversando sobre o que você havia feito ela não prestou muita atenção, o que o irritou, e você disse em tom sarcástico: "Que bom que está tão interessada." Quando seu chefe entrou para ver como ia o projeto, sua colega deu uma descrição imprecisa do trabalho que tinha feito; assim que ele saiu da sala ela encerrou a conversa abruptamente, pretextando ter telefonemas importantes a dar.

Ao rever esse diálogo você vai achar útil fazer a si mesmo algumas das seguintes perguntas:

- Terei escutado bem? Terei me comunicado bem?
- A outra pessoa escutou bem? Comunicou-se bem?
- Como percebi o comportamento da outra pessoa durante a conversa?
- Como a outra pessoa deve ter percebido o meu comportamento?
- A conversa saiu como eu queria?
- O que eu poderia ter feito de outro modo?
- O que a outra pessoa poderia ter feito de outra forma?
- Terei atingido um novo grau de entendimento desse relacionamento?
- A outra pessoa terá atingido?

Ao aplicar estas perguntas ao diálogo com a colega você poderia constatar que não escutou bem; quando ela ficou contrafeita por você duvidar se ela cumpriria ou não o prazo, você poderia ter dito: "Ouvi dizer que você está um pouco preocupada com o prazo"; assim ela poderia expressar seus verdadeiros sentimentos e vocês poderiam fazer talvez uma breve prática de resolução de problemas. Tampouco você estava se comunicando bem; seu sarcasmo deixou-a zangada. Também sua colega escutou e se comunicou mal. Ela poderia ter revelado seus pensamentos e sentimentos: "Estou com medo de não conseguir terminar dentro do prazo" ou "Acho que foi um erro entregar essas tarefas para mim, porque você sabe fazer isso muito melhor", ou ainda "Parece que você está tentando ficar com o projeto inteiro".

A conversa não correu do modo como você realmente desejava: você queria que os dois ficassem entusiasmados e estimulados a continuar trabalhando no projeto. Mas você ganhou alguns vislumbres a respeito do relacionamento: vocês precisam se comunicar melhor, tanto revelando o que estão sentindo e pensando, quanto escutando, especialmente atentando para o subentendido emocional do que a outra pessoa está dizendo. Além disso, você pensa que sua colega pode estar se sentindo em competição com você, daí ter iludido o chefe sobre o trabalho que tinha feito — e vocês precisam esforçar-se para ser menos competitivos e mais solidários um com o outro.

Determine o Resultado Esperado de Cada Relacionamento

Ao analisar um relacionamento é sempre boa idéia determinar aquilo que você quer dele — não para suprir suas necessidades, embora naturalmente isto também faça parte, mas para definir sua meta para esse relacionamento, o resultado que você deseja obter dele. Sabendo disso você estará em posição muito melhor para averiguar se está ou não no rumo certo, e, se não estiver, descobrir como mudar de curso para corrigi-lo.

Vamos tomar o exemplo anterior: talvez aquilo que você deseje tirar do relacionamento seja um bom produto para o *software* de *modem*, que resulta de um verdadeiro esforço de colaboração. No momento você está fora do rumo, porque não está colaborando e sim competindo, portanto precisa estudar todos os passos que poderá tomar para encontrar o curso correto.

O resultado que se deseja obter de um relacionamento poderia ser um oferecimento mútuo de apoio motivador, ou a troca de conhecimento, ou a permuta de listas de profissionais do ramo ou uma pessoa para servir de platéia para um ensaio. Cada resultado é alcançado através de um caminho diferente, e determinando o resultado você poderá determinar o caminho. Se concluir que o resultado que deseja obter do relacionamento com seu cliente é conseguir muitas encomendas, então você decerto deveria ser simpático com ele, mas não precisa compartilhar histórias pessoais como você faria se quisesse ter o cliente como amigo — a não ser, é claro, que relatar histórias pessoais torne o diálogo mais proveitoso.

Na seção anterior estudamos as informações preciosas que a análise de um relacionamento fornece sobre você mesmo, sobre a outra pessoa e sobre o próprio relacionamento, e vimos também como você pode utilizar essas informações, juntamente com sua inteligência emocional, para fazer do relacionamento aquilo que você quer que ele seja; agora vamos ver outro modo pelo qual você poderá orientar o relacionamento para que ele tenha o efeito desejado: aprendendo a se comunicar nos níveis apropriados.

Como se Comunicar no Nível Adequado

Todos nós já passamos pela experiência de participar de uma conversa sentindo que cada interlocutor falava sobre coisas diferentes, um deles discutindo o *software* de *modem* e o outro fazendo comentários sobre o novo organograma. Muitas vezes uma pessoa pode estar comunicando coisas simpáticas — "Oi, como vai?" — e a outra estar transmitindo sentimentos — "Estou muito preocupada com minha posição neste novo organograma". Você pode imaginar que a diferença nos níveis em que cada um está se comunicando dificulta qualquer conversa coerente, impossibilitando qualquer tipo de vínculo entre as duas pessoas.

Como já vimos antes, o vínculo é muito importante nos relacionamentos, porque dá profundidade, sentido e valor ao relacionamento. O que contribui para estabelecer o vínculo é a comunicação, e é o vínculo que facilita a comunicação. As duas coisas são favorecidas pelas técnicas da inteligência emocional tais como a auto-revelação, a crítica, a escuta dinâmica, a consciência e a afirmação.

O objetivo da destreza interpessoal é levar a comunicação com outra pessoa ao seu nível culminante, no qual os dois envolvidos estão em perfeita sincronia, inteiramente afinados e totalmente vinculados. Sentem-se perfeitamente à vontade compartilhando pensamentos, sentimentos e idéias, e sabem que são ouvidos com atenção. Por sentirem um nível tão alto de receptividade, os indivíduos conseguem ser mais criativos em seu trabalho e mais incentivados a revelar seus sentimentos. Não é preciso dizer que poucas pessoas conseguem esse nível de comunicação, seja no trabalho ou nos relacionamentos pessoais; no entanto, trata-se de uma meta que vale a pena esforçar-se para atingir.

Os quatro níveis de comunicação abaixo do nível culminante — todos alcançáveis — são:

- O nível das trivialidades
- O nível da informação
- O nível dos pensamentos e idéias
- O nível dos sentimentos

Sua inteligência emocional entra em ação por saber como usar cada nível de comunicação mais efetivamente e por encorajar os outros a mudarem para níveis que eles gostariam de evitar mas que vão manter o desenvolvimento do relacionamento e os vínculos individuais mais íntimos.

Em seguida estudaremos cada um deles.

O Nível das Trivialidades

Este nível compreende as trivialidades que você troca com outra pessoa ao passar por ela no corredor ou encontrar-se com ela na cantina. "Bom dia", "Como vai?" e outros cumprimentos similares são um exemplo disso. Este nível de comunicação serve para acusar a presença do outro sem passar do cumprimento formal — quem cumprimenta geralmente não espera uma resposta e muitas vezes não escuta se houver uma. O vínculo estabelecido por esse nível de comunicação é de natureza extremamente frágil.

A dificuldade aqui é que às vezes uma pessoa responde num nível diferente. Suponhamos que você passe pelo seu amigo Daniel do departamento de contabilidade e ele diga: "Oi, como vai?"; você responde: "Que bom que perguntou, porque estou com um problema". E ele, passando depressa, sem ter ouvido suas razões, diz: "Ótimo, vamos almoçar juntos qualquer dia desses."

Se Daniel fosse uma pessoa emocionalmente inteligente, saberia que toda resposta deve ser escutada, mesmo uma tão breve e enigmática como "Estou com um problema." Não apenas Daniel teria reconhecido que havia ali um subentendido emocional para o qual ele precisava atentar, mas teria percebido ainda que você estava trocando de nível de comunicação e ele precisava fazer o mesmo.

Suponhamos que ao passar por sua colega e perguntar "Como vão as coisas?", ela responda: "Tudo bem." Mas você percebe, pelo tom baixo da voz e pelo caminhar lento e desanimado, que ela está se sentindo deprimida ou frustrada. Lembre-se que os sentimentos não são expressos apenas através das palavras, mas também das atitudes. Sua inteligência emocional provavelmente o levaria a dizer: "Percebo que não está tudo bem. Que tal conversarmos sobre isso?"

Preste atenção em todos os transmissores emocionais que atuam nesse nível de comunicação — o tom da voz, a expressão facial, a linguagem corporal e o padrão de fala — em vez de simplesmente captar o sentido literal das palavras. Use as informações fornecidas pela sua atenção para averiguar como as outras pessoas estão se sentindo.

A Inteligência Emocional em Ação

Eu fazia pós-graduação numa grande universidade e me sentia deprimido, porque um professor estava exigindo muito de mim e eu achava que não conseguiria terminar aquele semestre. Estava no corredor, com esperanças de esbarrar nele, quando outro professor passou por mim. "Oi, como vai?", ele perguntou, e continuou a descer o corredor. Quando ele já estava na outra ponta, eu gritei: "Péssimo!"

Ele parou, percorreu o corredor inteiro de volta e me perguntou o que havia de errado; escutou-me com paciência e depois me disse para procurá-lo no dia seguinte para traçarmos um plano de ação. O fato de ele ter voltado para conversar comigo foi muito estimulante e me fez sentir que eu provavelmente conseguiria terminar o semestre. (Andy B., consultor de gerenciamento)

O Nível da Informação Factual

A fórmula dos negócios costuma ser a troca de informações de natureza factual — seja para informar as cifras das últimas vendas, apresentar o novo organograma, rever o planejamento mensal, ensinar o novo programa de edição de texto ou estabelecer metas para o departamento. Porém cada uma dessas trocas de informações cria uma percepção dos fatos — positiva, negativa ou quase neutra — que pode então acionar a resposta emocional correspondente.

Tomemos o exemplo da apresentação das cifras das vendas; são apenas números, mas podem trazer felicidade para algumas pessoas — as responsáveis pelas vendas terem sido tão boas — e ansiedade para outras — aquelas que não atingiram suas metas de vendas. O planejamento mensal traz alívio para algumas pessoas e depressão para outras; as primeiras são aquelas que já estão adiantadas e as últimas são aquelas que simplesmente não conseguirão dar conta de tudo que lhes cabe fazer. Mesmo o processo de aprender o novo programa de edição de texto pode fazer algumas pessoas se sentirem idiotas e outras se sentirem gênios da informática.

A pessoa emocionalmente inteligente reconheceria que existe um componente emocional até mesmo no nível factual da comunicação, e é responsabilidade da pessoa que apresenta os fatos perceber como esses fatos estão sendo interpretados. Do mesmo modo, a pessoa que escuta os fatos pode observar como eles estão sendo apresentados e fazer certas deduções a respeito do que o apresentador sente em relação a eles: se ao apresentar as metas do departamento o gerente gagueja um pouco, hesita bastante e olha para o chão, os ouvintes poderiam inferir que ele não está satisfeito com as metas, tem dúvidas a respeito da interpretação delas ou acha que o departamento não está preparado para esse desafio. (É lógico que ele podia estar simplesmente nervoso por falar para todo o departamento, mas presumivelmente esta hipótese não existia.)

Uma vez detectado o conteúdo emocional, você tem a opção de lidar com ele, seja para assegurar ao ansioso estudante de processamento de dados que ele conseguirá aprender o programa, seja para certificar o gerente do departamento de que você está confiante em atingir suas metas.

Algumas comunicações factuais em especial são altamente significativas. Tomemos o caso de uma avaliação de desempenho em que o gerente está comunicando os "fatos"; é inevitável que numa situação como essa as emoções subam à tona — medo, ansiedade, constrangimento. Se as duas pessoas não conseguirem ultrapassar o nível factual nessa comunicação, irão encontrar uma barreira a uma compreensão maior; no entanto, se o gerente tiver consciência do aspecto emocional — por exemplo, reconhecendo que o subordinado pode se sentir ressentido por ter uma avaliação de desempenho tão fraca —, então os dois terão uma chance muito maior de usar seu novo conhecimento para beneficiar o relacionamento. O gerente poderia dizer: "Percebo que você está ressentido com a avaliação" ou "Posso entender que isso deve ser bastante aflitivo, mas podemos estudar maneiras de você se sair melhor, e estarei aqui para ajudar". Ao mencionar a aflição do funcionário por causa dos fatos, o gerente torna esses fatos mais aceitáveis para ele.

O Nível de Pensamentos e Idéias

Este nível introduz um grau maior de vulnerabilidade, porque todos nós fazemos um certo investimento em nossos pensamentos e idéias — diferentemente dos fatos concretos — e tememos que nossas idéias sejam rejeitadas ou nossos pensamentos sejam considerados tolos.

Suponhamos que uma funcionária venha lhe dizer que tem uma ótima idéia de um artigo para o próximo número da revista; ela lhe explica a idéia, que você não acha tão boa assim. Eis a maneira emocionalmente inteligente de dar sua resposta: "Fico contente em vê-la oferecer sempre novas idéias, Maureen, pois isso mostra seu interesse e entusiasmo, e foi compartilhando idéias que fizemos os melhores números da revista. Acho que esta não vai funcionar, mesmo sendo boa, porque estamos querendo dar um descanso no assunto decoração. Mas por favor continue trazendo sugestões."

A resposta de Maureen teria sido bem diferente se em vez disso você tivesse dito: "Não acho que seja uma boa idéia, porque, como você deveria saber, não estamos mais publicando artigos sobre decoração de interiores." As conseqüências poderiam ser a perda de confiança — Maureen nunca mais iria se sentir à vontade para oferecer sugestões —, a perda de auto-estima — ela provavelmente sentiria que demonstrou burrice e incompetência — e a perda de recursos — a revista perderia a colaboração da criatividade dela.

O primeiro exemplo revelou inteligência emocional — você protegeu a vulnerabilidade de Maureen usando de sensibilidade na sua resposta, apoiando-a e incentivando-a a continuar trazendo idéias novas.

Vejamos um exemplo em que se utiliza da melhor maneira possível uma troca de opiniões. Digamos que você está numa reunião de pauta e Tom declara: "Acho que a revista tem dedicado páginas demais à decoração de interiores." Você discorda, mas pergunta: "Quais são as suas razões para pensar assim?" e Tom diz: "A fotografia é cara e demorada, e os artigos costumam ser monótonos." Você responde: "Nisso eu concordo com você, mas esses artigos trazem muitos dólares em anúncios, e na atual situação acho que não podemos nos dar ao luxo de virar as costas ao dinheiro".

Se você não tivesse inteligência emocional, poderia ter dito: "Isso é burrice, Tom. Você sabe muito bem que esses artigos trazem muito dinheiro de propaganda e que nós estamos precisando de dinheiro."

A primeira resposta protege a vulnerabilidade de Tom, mostra que havia uma concordância e deixa espaço para as opiniões dos outros ao dizer "acho que não podemos nos dar ao luxo de virar as costas ao dinheiro." No segundo exemplo, ao discutir com Tom você criou uma situação de confronto com comportamentos defensivos e nenhuma esperança de um desfecho positivo.

Ao apresentar sua discordância como outro procedimento a ser adotado ou outra opção a ser estudada e não como o único e excelente caminho, você não apenas vai contribuir para que a outra pessoa se sinta à vontade para oferecer pensamentos e idéias agora e no futuro como também vai permitir que ela analise com a mente mais aberta os demais pensamentos e idéias expostos, mesmo aqueles que lhe são contrários.

O Nível dos Sentimentos

A cada degrau que subimos na escala de níveis de comunicação que leva ao nível culminante, o risco é maior — mas a recompensa também. Isso se aplica especialmente aos sentimentos. Nos capítulos anteriores e no início deste capítulo estudamos a razão por que para nós é tão difícil comunicar nossos sentimentos — em primeiro lugar, estamos desacostumados a fazer isso; em segundo lugar, tememos as possíveis repercussões; por último, isso faz com que nos sintamos vulneráveis. No entanto é precisamente compartilhando nossos sentimentos que nos tornamos muito mais ligados à outra pessoa. Revelamos uma parte íntima de nós mesmos, o que permitirá à outra pessoa — e a nós mesmos — nos conhecer melhor. Compartilhamos uma preocupação e em troca possibilitamos que a pessoa nos apóie e nos ajude na resolução do problema. Além disso, cada um de nós tem a oportunidade de demonstrar confiança no outro — e tudo isso aproxima as pessoas.

Na seção sobre a auto-revelação, no capítulo anterior, aprendemos a revelar nossos sentimentos, e neste capítulo aprendemos a compartilhá-los. É preciso lembrar que, muitas vezes, a maneira de conseguir uma comunicação no nível dos sentimentos é você mesmo iniciá-la. Assim fazendo você deixa claro que expressar sentimentos é uma coisa aceitável e recomendável. Vamos voltar ao exemplo do organograma recém-proposto: sua equipe vem discutindo a mecânica do organograma e idéias para algumas correções, mas o que você realmente deseja é que discutam o que estão sentindo. Você diz então: "Estou muito entusiasmado com essas modificações e gostaria de saber como vocês se sentem, especialmente porque estou identificando sentimentos de ansiedade no grupo."

Já sabemos quais são os quatro níveis de comunicação e que uma pessoa emocionalmente inteligente vai se esforçar para alcançar o nível culminante, que incorpora todos os quatros níveis e faz o uso mais pleno de cada um deles. Na próxima seção vamos aprender a usar os diferentes níveis de maneira mais produtiva.

Como Usar com Eficácia os Diferentes Níveis

Como vimos, um determinado nível de comunicação é conveniente em determinadas circunstâncias, ao passo que outro não é; às vezes você está se comunicando num nível mas parece que outro seria mais adequado. Para usar os diferentes níveis de comunicação de maneira mais eficaz é preciso que você seja capaz de:

- Identificar o nível em que você e seu interlocutor estão se comunicando.
- Adaptar seu nível ao da outra pessoa.
- Saber quando passar para um nível diferente.

A seguir vamos estudar cada um desses passos.

Identifique o Nível em que Você e seu Interlocutor Estão se Comunicando

Como vimos na seção anterior, cada nível apresenta certas características. O nível das trivialidades geralmente envolve cumprimentos e saudações; o nível das informações factuais abrange os fatos, apenas os fatos; o nível dos pensamentos e idéias é caracterizado pelas afirmações que freqüentemente começam com "Eu penso", "Seria uma boa idéia", ao passo que o nível dos sentimentos geralmente produz afirmações do tipo "Eu sinto". Compreendendo cada nível e usando sua autoconsciência você deveria ser capaz de determinar o nível em que você e a outra pessoa estão se comunicando. É necessário prestar atenção em todos os sinais de comportamento, pois com freqüência as palavras parecem indicar um nível — "Eu penso que este novo horário está todo errado" sugere o nível dos pensamentos — mas o comportamento sugere outro: a voz alterada sugere raiva ou frustração, que pertencem ao nível dos sentimentos.

A vantagem de ser capaz de identificar o nível da comunicação é poder ter certeza de que você e a outra pessoa estão no mesmo nível. Se não estiverem, a comunicação será prejudicada. Se a outra pessoa está transmitindo seus pensamentos e idéias sobre o novo organograma e você está dizendo que o considera ruim para você por não lhe deixar espaço para progredir, ela não irá conseguir o que quer — saber o que você pensa sobre o assunto e seus comentários sobre os pensamentos e idéias dela — nem você tampouco irá conseguir o que quer — ajuda para descobrir como lidar com a situação desfavorável. De modo que vocês efetivamente não estabeleceram um vínculo.

Tornando-se consciente dos níveis em que está se comunicando, você definirá os níveis que lhe são mais confortáveis e os que você tende a evitar. Como é preciso utilizar todos os níveis nos momentos apropriados para estabelecer relacionamentos interpessoais produtivos, é uma boa idéia identificar aquilo que lhe causa desconforto num determinado nível e como você pode ultrapassar esse desconforto. Quanto mais você usa um determinado nível, mais à vontade se sentirá ao usá-lo.

Adapte seu Nível ao da Outra Pessoa

Ao adaptar seu nível de comunicação àquele no qual a outra pessoa está se comunicando, você favorece a troca de informações e estabelece um ponto de referência comum a ambos. Isso lhe possibilitará escutar o que a outra pessoa está dizendo, compreender e responder de um modo que beneficie ambos — em suma, formar um vínculo e relacionar-se bem.

Adaptar a comunicação é um processo fluido — trocamos de nível continuamente, por uma variedade de razões, como veremos adiante.

Como o vínculo só acontece quando ambos os indivíduos estão se comunicando no mesmo nível, se a outra pessoa trocar de nível você terá que acompanhá-la, e vice-versa.

Em geral as pessoas passam para um nível de comunicação inferior, menos arriscado, quando aquele no qual estão se comunicando fica desconfortável. Tomemos o exemplo de Maureen expondo sua idéia para o artigo sobre decoração de interiores e ouvindo em resposta que aquela idéia era ruim porque a revista não publicava mais artigos sobre o assunto; essa rejeição pode muito bem ter feito Maureen sentir-se pouco à vontade no nível dos pensamentos e idéias, e provavelmente pouco disposta a arriscar-se a ter outra idéia sua menosprezada. Ela certamente não gostaria de se tornar mais vulnerável subindo para o nível dos sentimentos, de modo que o mais provável é que descesse para o nível factual. Ela poderia perguntar: "Que tipo de artigo vamos publicar então?"; se a outra pessoa tivesse inteligência emocional, acompanharia a troca de nível dela, passando talvez a debater os assuntos que interessam à revista.

Suponhamos que Maureen tenha outras idéias que gostaria de expor; a melhor coisa a fazer seria permanecer no nível de informação factual até recuperar o bem-estar, e então tentar passar novamente para o nível das idéias.

Saiba Quando e Como Passar para Outro Nível

A ocasião de passar para outro nível de comunicação é aquela em que você constata que o nível em que está se comunicando não é eficaz. Isso pode acontecer porque a outra pessoa está se comunicando num nível diferente, ou porque o nível em que vocês estão se comunicando está causando constrangimento a você ou à outra pessoa, ou porque a troca de informações deveria ser feita num nível diferente — por exemplo: você e um colega estão debatendo pensamentos e idéias sobre o lançamento de um novo produto, mas não chegam a lugar algum, de modo que você decide passar para o nível factual na tentativa de encontrar um caminho. Outra ocasião em que se deve trocar de nível é quando os sentimentos não estão sendo revelados verbalmente mas são na verdade o fator operante: passar para o nível dos sentimentos poderá contribuir para estabelecer um vínculo melhor.

Para passar para um nível diferente levando a outra pessoa consigo existem quatro abordagens que você pode adotar:

- Usar afirmações auto-reveladoras.
- Fazer perguntas estratégicas.
- Solicitar pensamentos e sentimentos.
- Solicitar pensamentos e sentimentos a respeito da expressão de pensamentos e sentimentos.

Suponha que você e seu colega Ron estejam estudando uma apresentação importante que você vai fazer para um cliente em potencial; ele está revendo os fatos com você. Pelo modo como ele anda de um lado para o outro, e pela hesitação em sua voz, você sente que ele está ansioso. Vamos voltar a este exemplo enquanto aprendemos a usar cada uma das maneiras de passar para outro nível de comunicação.

Use Afirmações Auto-reveladoras

Embora Ron esteja se comunicando no nível das informações factuais, os seus sentidos lhe dizem que a verdadeira preocupação de Ron são os sentimentos que ele está experimentando — ansiedade e nervosismo —, e não seu conhecimento dos fatos. Portanto, para provocar uma conversa sobre o que ele está sentindo você faz uma afirmação auto-reveladora ("Eu percebo", "Eu penso", "Eu sinto", "Eu gostaria"). No capítulo anterior vimos que quando uma pessoa toma a iniciativa de recorrer à auto-revelação geralmente a outra logo a acompanha. Além disso, as pessoas costumam receber com prazer a oportunidade de debater com um colega uma emoção perturbadora se elas se sentirem seguras — e presumivelmente Ron se sente seguro com você.

Neste caso sua afirmação auto-reveladora poderia ser: "Ron, estou percebendo que você está um pouco ansioso por causa desta apresentação. Quer conversar sobre o assunto?" Você está revelando a Ron que percebeu a ansiedade dele, e agindo assim você lhe dá oportunidade de discutir o problema, passando para o nível dos sentimentos. Você poderia dizer também: "Acho que seria uma boa idéia fazermos umas respirações profundas para nos livrarmos de alguma ansiedade", ao que Ron poderia responder: "Boa idéia. Estou me sentindo mesmo ansioso." Ou você poderia dizer: "Esta apresentação está me deixando um pouquinho ansioso." É de se esperar que Ron aceite seu convite para transmitir o que está sentindo e revele sua ansiedade.

A vantagem de passar para o nível dos sentimentos, no exemplo com Ron, é ao mesmo tempo a curto e a longo prazo; Ron obtém alívio a curto prazo na forma de auxílio para sentir-se menos ansioso; a longo prazo ambos se beneficiam com essa oportunidade de expressar os sentimentos, perceber o desfecho positivo e adquirir condições de no futuro usar com mais facilidade esse nível de comunicação.

Faça Perguntas Estratégicas

Às vezes fazer uma pergunta é a maneira de ajudar alguém a passar para outro nível de comunicação. Usando novamente o exemplo anterior, você poderia dizer a Ron: "Como você está se sentindo a respeito dessa apresentação?"; ele poderia então revelar que está nervoso, e você poderia perguntar se há alguma coisa que possa fazer para aliviar a ansiedade dele.

Por outro lado, Ron poderia responder: "Muito bem"; seus sentidos lhe dizem que isto não é verdade, de modo que você poderia então usar uma afirmação sensorial: "Percebo que você está um pouco ansioso." Se ele perguntar o que o levou a dizer isto, você tem a informação dos seus sentidos (vê-lo andar de um lado para o outro, ouvi-lo gaguejar) como ilustração.

Você poderia também tentar combinar uma afirmação auto-reveladora com uma pergunta estratégica: "Estou me sentindo um pouco ansioso por causa desta apresentação. E você, Ron?" Se você revelar a Ron que está sentindo o mesmo que ele, Ron sentirá mais segurança e achará mais fácil revelar seus sentimentos.

Solicite Pensamentos e Sentimentos

A melhor maneira de fazer isso é oferecer seus serviços como ouvinte dinâmico. Você faz isso incorporando a expressão "Eu gostaria de saber" a uma frase. No exemplo anterior você poderia dizer: "Ron, eu realmente gostaria de saber como você está se sentindo em relação a essa apresentação." Como a maioria das pessoas, ele provavelmente reagiria à solicitação de uma resposta de sentimentos com um pensamento — lembre-se que no capítulo anterior vimos que as pessoas muitas vezes confundem uma afirmação do tipo "Eu penso" com uma afirmação do tipo "Eu sinto". De modo que ele provavelmente diria: "Penso que estamos bem preparados, de modo que tudo deve sair bem"; você poderia responder: "Na verdade estou perguntando pelos seus sentimentos, não seus pensamentos." Se ainda assim ele não entendesse, você poderia perguntar: "Está se sentindo ansioso? Confiante?"

Se são os pensamentos que você quer que alguém revele para que ambos possam passar para o nível dos pensamentos e idéias, você poderia dizer: "Tenho certeza de que você tem algumas idéias sobre a melhor maneira de começar a apresentação, Ron. Eu gostaria de ouvi-las."

Solicite Pensamentos e Sentimentos a Respeito de Expressar Pensamentos e Sentimentos

Às vezes, apesar de seus maiores esforços, você não consegue passar do nível da comunicação para o nível dos pensamentos ou dos sentimentos; em vez de insistir ou desistir, você incentiva a pessoa a lidar com essa resistência conversando sobre o assunto.

Eis como isso poderia funcionar com Ron. Suponha que ele simplesmente não conseguisse discutir sua ansiedade. Então você diz: "Parece-me que você tem dificuldade em compartilhar comigo seus sentimentos. Talvez seja alguma coisa que eu estou fazendo sem perceber. Como se sente em relação a essa minha pergunta?"

Ron provavelmente se sente seguro para responder a essa pergunta, de modo que poderia dizer: "Eu me sinto um pouco embaraçado" ou "um pouco constrangido" ou "muito bem". Então você poderia perguntar: "Você se sente constrangido ou embaraçado falando sobre seus sentimentos em geral?", ao que ele poderia responder: "Não, eu sinto medo." Com efeito, você conseguiu que Ron passasse para o nível dos sentimentos ao revelar como se sente ao expor seus sentimentos. Uma vez nesse nível, você poderia tentar trazer a conversa de volta para a apresentação: "Você sente medo pela apresentação?" É de se esperar que Ron permaneça no mesmo nível ao lhe responder.

A seguir veremos algumas dicas para determinar o momento oportuno para trocar de nível de comunicação.

Dicas para Saber Quando Deve Trocar de Nível

1. Passe para o nível das informações factuais se alguém estiver muito zangado. Assim você poderá baixar a intensidade emocional, colocar a raiva em perspectiva e lidar com ela mais eficazmente. Suponhamos que Charles, um colega seu, entre na sua sala furioso por ter sido preterido em recente promoção; em vez de usar afirmações do tipo "Eu

percebo", "Percebo que isso lhe causa muita ansiedade", destinadas a solicitar sentimentos, faça perguntas relevantes acerca de fatos: "Mas James não trabalhava neste departamento há muito mais tempo que você?", ou faça comentários factuais: "Mas não se esqueça que o chefe disse que o estava preparando para chefiar o projeto favorito dele." Assim seu colega vai encarar "os fatos" da questão, talvez ganhando mais lucidez, o que irá contribuir para abrandar a raiva dele.

2. Passe para o nível dos sentimentos quando alguém comunica desânimo de maneira não-verbal. Vamos dizer que uma amiga de outro departamento se comunica com você no nível das trivialidades ou no nível factual; quando se encontram no corredor e você lhe pergunta como vai, ela responde: "Bem, obrigada" — trivialidades; quando você almoça com ela e pergunta como vão as coisas, ela lhe conta em que está trabalhando — fatos. Mas ela parece desanimada; evita conversar com você, não sorri mais, não o encara nos olhos. Levando-a a passar para o nível dos sentimentos você poderá ajudá-la a falar sobre o seu desânimo, e juntos poderão descobrir um meio de aliviá-lo.

3. Não saia do nível dos pensamentos ou dos sentimentos se seu objetivo for despertar confiança e alcançar um consenso. Para despertar confiança e alcançar um consenso você precisa estabelecer a receptividade e a franqueza. Uma das maneiras de fazer isso é revelar seus pensamentos, idéias e sentimentos; permanecendo nesses dois níveis de comunicação você maximiza suas chances de obter a confiança e o consenso.

4. Não saia do nível factual ou do nível dos pensamentos e idéias quando estiver praticando a resolução de problemas. Tomemos o caso do seu colega Charles que não recebeu a promoção e está muito ressentido; a raiva indica um problema, e você solidariamente concordou em ajudar Charles a encontrar um meio de reconciliá-lo com a decisão do chefe. De modo que você estuda o caso e oferece seus pensamentos e idéias. Se você passar para o nível dos sentimentos, Charles não conseguirá adquirir lucidez suficiente para encontrar uma ação positiva.

5. Não saia do nível das trivialidades se você não estiver preparado para um diálogo mais profundo. Quando um colega entra em sua sala querendo conversar, e o encontra preocupado com um relatório que tem que estar pronto nessa mesma tarde, limite sua comunicação a uma troca de trivialidades, caso contrário a outra pessoa julgará que você está preparado para conversar num nível mais alto. É uma boa idéia também dizer à pessoa que você realmente gostaria de conversar sobre o que ela deseja, mas só poderá fazer isso depois de terminar o relatório; dessa maneira você informa a pessoa que sua incapacidade de passar para outro nível de comunicação é apenas temporária e que você não é uma pessoa insensível.

6. De maneira geral não passe para um nível diferente do nível da outra pessoa se ela estiver em posição de poder ou de controle. Digamos que seu chefe ou sua cliente está se comunicando no nível factual, mas você acha que a conversa poderia progredir se passasse para o nível dos pensamentos e idéias; só faça isso se estiver convencido de que a outra pessoa não vai se ofender. Seu chefe pode julgá-lo insubordinado por oferecer suas opiniões sem ser solicitado; sua cliente pode julgá-lo grosseiro por apresentar suas idéias quando as dela é que deveriam ser expostas. Por outro lado, ambos podem ter a mente aberta e boa vontade para ouvir seus pensamentos e suas idéias. Mas tenha em mente que trocar o nível da comunicação em determinadas situações pode oferecer riscos.

Como vimos na seção anterior, quanto mais alto o nível da comunicação, melhor as pessoas conseguem se relacionar (com a ressalva de que os níveis inferiores às vezes são mais convenientes em certas circunstâncias). Como as afirmações auto-reveladoras são uma boa maneira de atingir esses níveis superiores, e como elas geralmente produzem respostas no mesmo nível, você pode facilmente fazer uma extrapolação para chegar mais perto do nível culminante de comunicação: use afirmações auto-reveladoras logo no início de um relacionamento, sempre que possível oriente o diálogo para os níveis de comunicação mais elevados e procure permanecer neles.

A Inteligência Emocional em Ação

Há algum tempo, estava eu me preparando para transmitir uma avaliação de desempenho de um dos meus funcionários — o que não era uma das minha tarefas prediletas. Nas duas primeiras avaliações Jonathan tinha ficado em silêncio; eu estava decidida a não deixar que isso acontecesse outra vez.

Tentei descobrir os motivos do silêncio dele. Talvez se sentisse ameaçado, ou talvez simplesmente achasse que todo aquele processo era uma grande perda de tempo. Talvez ele realmente não tivesse coisa alguma a dizer, ou pensasse que eu ia ignorar suas palavras. Eu achava que Jonathan devia ter algumas coisas a dizer, e se eu pudesse conseguir que ele as expusesse, a avaliação seria muito mais produtiva para nós dois.

Antes da conversa pedi a Jonathan para reservar 90 minutos; achei que essa era uma boa maneira de lhe informar que a avaliação não seria breve. Disse-lhe também que ia pedir sua avaliação do seu próprio desempenho, para que ele ficasse sabendo que teria que participar ativamente.

Depois de trocarmos trivialidades, quando ele parecia um pouco mais relaxado, sugeri que começássemos pela avaliação feita por ele; expliquei que para que nós dois nos beneficiássemos eu teria que saber o que ele pensava.

No início ele pareceu exageradamente cauteloso ao expor suas opiniões, de modo que pedi que as explicasse melhor. Eu fazia perguntas do tipo: "Pode falar um pouco mais sobre isso?" ou "Pode me dar um exemplo?" ou "Qual é, na sua opinião, o melhor plano?"; ele ficou um pouco mais loquaz e eu lhe dei reforços positivos, especialmente quando ele revelava seus pensamentos e sentimentos. Eu dizia coisas como: "Dou muito valor à sua informação" ou "Isto é muito inteligente da sua parte". Periodicamente eu desenvolvia e resumia o que ele estava dizendo, sempre perguntando se eu estava entendendo corretamente; queria que ele sentisse que estava sendo ouvido.

Segui o mesmo processo quando foi minha vez de falar. Pedi a opinião dele sobre aquilo que eu estava dizendo; quando ele manifestava discordância, em vez de ficar na defensiva eu lhe pedia para explicar melhor, esclarecer seu pensamento. Fossem quais fossem as discordâncias, constatei que, por eu ter permitido que ele expressasse seus próprios pensamentos e sentimentos, conseguimos fazer uma avaliação acurada do desempenho dele.

Ambos achamos a conversa excelente. Quando ele ia saindo declarei que tinha achado ótima a contribuição dele, e ele viu que eu estava falando a verdade. No dia seguinte reiterei minha satisfação. Desde então ele tem se mostrado muito mais aberto em relação aos seus pensamentos e sentimentos, e nosso relacionamento se tornou muito mais produtivo. (Sondra L., gerente de uma loja de peças automotivas)

Como Reunir Todas as Técnicas da Destreza Interpessoal

Neste capítulo aprendemos que a destreza interpessoal é essencial para desenvolver e manter os melhores relacionamentos que você pode ter com todas aquelas pessoas que encontra durante o seu dia de trabalho. (Aliás, as técnicas que você aprendeu aqui podem funcionar muito bem na sua vida pessoal.)

Vimos também o papel essencial da inteligência emocional no desenvolvimento da destreza interpessoal: ela lhe dá a consciência necessária para analisar seus relacionamentos e lhe permite controlar suas emoções para que a conversa em todos os níveis de comunicação seja tão produtiva quanto possível; além disso, ela fornece as técnicas de comunicação — desde a auto-revelação até a escuta dinâmica e a positividade — que possibilitam estabelecer um vínculo com outra pessoa da maneira mais adequada.

No próximo capítulo vamos avançar mais na questão da destreza interpessoal e usá-la para ajudar outras pessoas a se ajudar — uma das práticas mais difíceis e mais gratificantes da inteligência emocional.

6

Como Ajudar Outras Pessoas a se Ajudarem

Uma organização de trabalho é uma entidade holística, um sistema integrado que se baseia na interação dos indivíduos que dele fazem parte: o desempenho de cada um afeta toda a empresa. Por isso é tão importante para o sucesso da companhia que os funcionários não apenas tenham o melhor desempenho possível mas também ajudem os outros a fazer o mesmo. No contexto da inteligência emocional isso significa ajudar os outros a controlar as emoções, comunicar-se eficazmente, solucionar seus problemas, resolver seus conflitos e permanecer motivados.

Isso Vai Beneficiar Outras Pessoas, Você e a Empresa

Nos capítulos anteriores vimos que usar nossa inteligência emocional no ambiente de trabalho é um processo que exige tempo e bastante prática; teremos que aprender certas técnicas, em muitos casos precisaremos aprender a fazer de outro modo certas coisas que temos feito de determinada maneira há muitos anos (como lidar com a raiva, por exemplo) e precisamos estar cônscios das muitas atividades subconscientes, tais como comportamentos que possam comunicar uma impressão incorreta.

Não é preciso dizer que ajudar outra pessoa a agir e reagir de modo emocionalmente inteligente é ainda mais difícil, por diversas razões: você está lidando com uma pessoa a quem conhece menos do que a si mesmo; uma pessoa que não teve, como você, a oportunidade de ler este livro e assim aprender a usar a inteligência emocional; além disso, há nessa situação uma dinâmica adicional: o relacionamento de vocês.

Embora seja algo extremamente complicado, ajudar as pessoas a se ajudarem é uma das práticas mais gratificantes da inteligência emocional: ajudar uma pessoa a aprender, crescer, ser mais produtiva e desenvolver um relacionamento baseado na confiança e na lealdade — duas qualidades raras na América dos negócios.

Neste capítulo vamos estudar quatro maneiras pelas quais você pode ajudar os outros a se ajudar. São elas:

1. Manter sua perspectiva emocional.
2. Saber como acalmar uma pessoa descontrolada.
3. Ser um ouvinte solidário.
4. Ajudar a pessoa a planejar e alcançar suas metas.

Em seguida estudaremos cada uma delas, e veremos como sua destreza interpessoal, sua capacidade de ajudar os outros e a sua própria inteligência emocional unidas ajudam a criar uma organização emocionalmente inteligente.

Mantenha sua Perspectiva Emocional

Estudamos no Capítulo 2 as muitas maneiras como você pode controlar suas emoções; nele não estudamos, o que iremos fazer agora, a maneira como você é afetado pelas emoções da outra pessoa. Pense numa ocasião em que teve que falar com alguém sobre um assunto algo delicado — usemos novamente o exemplo de Gerald, do Capítulo 2, que não devolvia as pastas do seu arquivo: você estava calmo e controlado quando o abordou. Mas ele se mostrou irritado por você lhe cobrar algo que ele considerava uma coisa trivial deixando de reconhecer tudo que ele faz por você, e ainda por não compreender que ele precisa das pastas. De repente você fica muito zangado e responde em tom hostil. O que aconteceu neste caso foi que Gerald o contagiou com a raiva dele.

Muitas emoções — raiva, medo, depressão, ansiedade e entusiasmo — podem ser contagiosas, passando de um indivíduo para outro. Nós posibilitamos que isso aconteça ao imitarmos subconscientemente certos comportamentos da outra pessoa, comportamentos esses provocados por determinadas emoções. No caso de você e Gerald, ele provavelmente estava falando alto, soltando faíscas pelos olhos, e talvez até gesticulando furiosamente. Estas atitudes, que refletem a raiva que ele sente, podem ser transmitidas facilmente. Quando você começa a repeti-las, passa a sentir a emoção que as provocou — a raiva. A raiva que você contrai o impede de pensar com clareza, privando-o da capacidade de resolver o problema.

A boa notícia é que o contágio emocional pode ser evitado. O que você pode fazer para não ser contagiado pelas emoções negativas de outra pessoa é:

- Antever o estado emocional da outra pessoa.
- Atentar para o comportamento da outra pessoa.
- Usar afirmações instrutivas.
- Usar as técnicas de relaxamento.

Nos capítulos anteriores você já deve ter se familiarizado com a maioria dessas técnicas.

Anteveja o Estado Emocional da Outra Pessoa

Com muita freqüência é impossível antever o estado emocional da outra pessoa — um novo cliente que você acaba de conhecer, por exemplo — porque você simplesmente não tem qualquer pista; mas em muitas situações isso é possível. A vantagem é que você consegue separar suas emoções das emoções da outra pessoa e pode planejar a estratégia para lidar com a situação da maneira mais eficaz possível.

Suponha que você vai se reunir com um dos seus gerentes — a quem chamaremos Patrick — para conversar a respeito da falta de entusiasmo no departamento dele. Podemos partir do princípio de que é provável que essa conversa vá deixá-lo ansioso, pois como gerente ele devia manter o entusiasmo em nível alto; é provável também que ele se mostre deprimido, pois foi assim que a falta de entusiasmo o afetou. Ao antever isso, você terá condições de, em primeiro lugar, reconhecer que a ansiedade e a depressão são emoções dele, não suas; depois poderia tentar avaliar a melhor maneira de conduzir a conversa. Você provavelmente procuraria aliviar a aflição de Patrick, afirmando que ele é um bom gerente e que você reconhece que o trabalho adicional que o departamento dele tem feito deve realmente provocar algum desânimo. Para ajudar a aliviar a depressão dele, você poderia sugerir que ele atente para todas as contribuições positivas feitas pelo departamento dele, em vez de atentar para o que não foi feito.

Tomemos agora uma situação inteiramente diferente: você vai anunciar aos integrantes do seu grupo de trabalho que eles receberão um bônus pelo último projeto em que trabalharam; sabe que a notícia vai lhes causar grande alegria e poderá deixá-los tão alvoroçados que eles não conseguirão prestar atenção nos outros assuntos que você precisa discutir com eles. Portanto você poderia decidir adiar a notícia do bônus para depois que os outros assuntos estivessem resolvidos.

Ao antever o estado emocional da outra pessoa você não apenas contribui para orientar a situação para um desfecho positivo como também assume o controle de suas próprias emoções e se coloca no estado de espírito apropriado para lidar produtivamente com a situação.

Atente para sua Percepção dos Outros

No Capítulo 1 aprendemos que para desenvolver um alto grau de autoconsciência você precisa prestar atenção a seus sentidos, entrar em contato com seus sentimentos, saber identificar suas intenções e atentar para suas atitudes. Aplicando a outra pessoa o que aprendeu ali, você terá condições de identificar a emoção que ela está experimentando; para avaliar a melhor maneira de não ser contagiado por uma emoção alheia é essencial conhecê-la, pois isso lhe possibilitará ficar alerta e ter mais consciência de quaisquer atitudes decorrentes dessa emoção que você possa estar imitando.

Tomemos o exemplo de seu gerente, Patrick, que está conversando com você sobre a falta de entusiasmo de seus colegas; ele está escarrapachado na cadeira e fala devagar, em voz baixa, olhando para o chão. Ao acionar sua consciência num nível bem alto você percebe que a postura dele, o tom da voz e as expressões faciais sugerem que ele está deprimido. De alguma forma você conseguiu não ser afetado pela falta de entusiasmo do seu grupo, e certamente não vai querer sucumbir agora; ao reconhecer a emoção que Patrick está experimentando você poderá ficar alerta e procurar evitar ser contagiado por ela, e poderá, além disso, verificar se você também está escarrapachado na cadeira, de testa franzida, ou exibindo quaisquer outras atitudes associadas à depressão.

Use Afirmações Instrutivas

Elas foram estudadas também no capítulo sobre o controle das emoções, portanto não me aprofundarei aqui. No caso de Patrick, eis alguns exemplos de afirmações instrutivas que você poderia usar: "Patrick está deprimido por causa da falta de entusiasmo geral; só porque ele está deprimido eu não preciso ficar também. Não vou me deixar contagiar pela depressão dele. Vou ser positivo." No caso de Gerald você poderia dizer: "Gerald está ficando realmente ressentido por eu estar falando sobre isso. Não importa a raiva dele; vou permanecer calmo. Vou respirar profundamente e falar um pouco mais devagar do que o normal."

Essas afirmações instrutivas contribuirão não apenas para que você mantenha distanciamento emocional da outra pessoa como também para que entenda com mais clareza o que a outra pessoa está sentindo, e aja de acordo.

Use sua Reação de Relaxamento

No capítulo sobre o controle das emoções você aprendeu a usar a reação condicionada de relaxamento; se já esqueceu, volte àquela seção. O propósito desse uso é adquirir condições para perceber e reduzir a excitação que, sem controle, faz com que as emoções negativas tomem conta e impeçam que você pense e aja de maneira eficaz. Se você sentir que está começando a contagiar-se com a emoção negativa de alguém, ou teme ser suscetível a ela, use essa técnica.

A Inteligência Emocional em Ação

Eu estava conversando casualmente com minha chefe a respeito da viagem que eu tinha feito nas férias; de repente comecei a me sentir constrangido e pouco à vontade. Comecei a achar que ela estava ficando entediada, pois ela se remexia e estava distraída. Então pedi licença, pretextando a necessidade de dar um telefonema importante, e saí.

De volta à minha sala rememorei a conversa e constatei que no início eu estava me sentindo bem; o que eu dizia era interessante e ela não me parecia entediada. Então fiquei a me perguntar se aquele meu constrangimento poderia estar vindo dela. Sei que ela é uma pessoa tímida, que não se sente à vontade no trato com as pessoas — fica mais à vontade falando apenas dos "fatos" do trabalho. Percebi que a expressão de enfado provavelmente não era enfado e sim constrangimento.

No dia seguinte resolvi tentar algo diferente: se ela não estava se sentindo à vontade, eu ia tentar fazer com que se sentisse. Primeiro recomecei a falar das minhas férias do ponto em que tinha parado na véspera; além disto falei coisas como: "Acho ótimo poder compartilhar com você essas coisas pessoais." Parece que isto a deixou à vontade — e a mim também. (Brendan C., assistente administrativa)

Conseguindo manter sua perspectiva emocional e evitar o contágio emocional, você será capaz de pensar e perceber com clareza, portanto estará em posição de ajudar uma pessoa descontrolada a dominar-se.

Como Acalmar uma Pessoa Descontrolada

O principal motivo para querermos acalmar uma pessoa descontrolada é que se não o fizermos não poderemos ter esperança de ajudá-la. Um indivíduo descontrolado sem dúvida precisa de ajuda, e sendo você uma pessoa emocionalmente inteligente, é de sua responsabilidade prestar auxílio àqueles que precisam.

"Acalmar" significa reduzir a excitação emocional da pessoa. Você se lembra que no capítulo sobre o controle das emoções estudamos o uso das técnicas de relaxamento como meio de controlar sua própria excitação; no caso de outra pessoa, como — presume-se — ela desconhece a reação de relaxamento, você tentará fazer com que fique menos agitada, pois até que isso aconteça será impossível haver pensamentos racionais ou qualquer tipo de conversa sensata. Uma vez que ela se mostre mais calma, você vai ajudar a redirecionar a conversa, para baixar ainda mais o nível de excitação. Veremos agora como ajudar uma pessoa descontrolada a dominar-se apaziguando-a e redirecionando a conversa.

Use as Técnicas de Apaziguamento

Essas técnicas abrangem tudo que você puder dizer ou fazer para que a outra pessoa deixe de ficar ofegante, gesticular e exibir qualquer outra atitude que reflita um estado de excitação exacerbado. Uma das técnicas que geralmente saem pela culatra é insistir para a pessoa relaxar ou acalmar-se: a reação costuma ser a oposta.

Suponhamos que sua assistente Margaret chegue tomada de ansiedade. A pressão do projeto em que está trabalhando é demasiada, e ela está um pouco frenética, andando de um lado para o outro na sua sala e repetindo sem cessar: "Simplesmente não vou conseguir! É demais! Este projeto nunca vai ficar pronto e vamos perder o cliente!" Eis alguns meios de contribuir para apaziguá-la:

Dicas para Ajudar uma Pessoa a Apaziguar-se

1. Sugira que a pessoa se sente. Você poderia dizer: "Vamos nos sentar e conversar sobre isso, Margaret"; sentada, ela não estará andando de um lado para o outro e se encontrará em estado de repouso.
2. Ofereça-lhe algo para beber. Pode ser água ou alguma bebida sem cafeína — que literalmente contribuirá para esfriá-la. Beber alguma coisa ajuda também a evitar a boca seca, que iria apenas fazer a pessoa sentir-se mais ansiosa.
3. Peça à pessoa para falar mais devagar. Você poderia dizer: "Quero realmente ouvir o que você está dizendo, Margaret, mas não vou conseguir se você continuar falando tão depressa. Por favor, quer falar um pouco mais devagar?" Falar mais devagar contribuirá para diminuir a excitação de Margaret.
4. Ofereça-lhe uma folga. Vimos no Capítulo 2 que tirar uma folga para diminuir suas reações emocionais pode ser muito eficaz para desarmar uma situação desfavorável; portanto você poderia pedir licença para ir ao banheiro ou levar alguma coisa ao departamento de expedição, ou dar um recado rápido a alguém; assim Margaret terá alguns minutos de privacidade, durante os quais — espera-se — irá respirar profundamente e recompor-se um pouco.

Uma vez que a pessoa esteja mais calma e com certo controle das emoções, você poderá começar a mudar o curso da conversa para uma direção mais produtiva.

Redirecione a Conversa

As pessoas irritadas ou ansiosas costumam repetir as mesmas afirmações, o que serve apenas para prendê-las ainda mais em seu estado emocional exacerbado. Vimos que Margaret fica repetindo "Simplesmente não consigo! É demais"; mesmo depois de sentar-se e beber um copo d'água ela pode estar reiterando mentalmente essas afirmações. Portanto você precisará interromper esse ciclo, fazendo com que ela encare o problema de maneira um pouco diferente; uma maneira de fazer isso é oferecer outros pontos de vista.

Ao levar uma pessoa a examinar outros pontos de vista você a estará ajudando a encarar a situação de uma perspectiva mais racional e geralmente melhor, o que por sua vez deverá colocar vocês dois mais perto de uma solução. Tomemos novamente o exemplo de Margaret: como a maioria das pessoas se sentem quando ficam ansiosas, ela está insegura em relação ao desfecho do seu problema e assim o aumenta desproporcionalmente, transformando-o numa catástrofe (o projeto não será concluído e vocês perderão o cliente). Você poderia dizer: "Bem, não estou preocupado com isso. Sei que você vai conseguir terminar esse projeto"; poderia dizer também: "O cliente não vai nos deixar. Ele sabe que esse projeto é difícil." Pode-se imaginar que esses dois comentários poderiam arrancar Margaret de suas ruminações negativas e contribuir para que ela conclua que talvez a situação não seja tão grave quanto ela pensa.

No decorrer da conversa você talvez perceba que a verdadeira razão da ansiedade de Margaret é que ela julga não estar à altura desse trabalho — não acredita ser suficientemente rápida para executar as tarefas que lhe cabem; nesse caso você poderia colocar alguém colaborando com ela e ensinando aquilo que ela não sabe. Assim você não apenas terá ajudado Margaret a controlar suas emoções como também terá proposto algumas soluções possíveis para a crise. Isso nos leva a outra maneira de ajudar os outros: aprender a ser um ouvinte solidário.

Seja um Ouvinte Solidário

No Capítulo 4 aprendemos a importância da escuta dinâmica para estabelecer uma comunicação eficaz e vimos que escutar dinamicamente significa ouvir o que a outra pessoa está realmente dizendo, com os filtros removidos e qualquer subentendido emocional posto às claras; pois agora vamos estudar a escuta como uma ferramenta para ajudar outra pessoa a compreender melhor uma situação difícil, ter uma visão mais positiva a respeito da sua capacidade de lidar com essa situação e sentir-se prestigiada por ter o apoio de alguém.

Existem dois passos básicos para se tornar um ouvinte solidário: manifestar sua aceitação daquilo que a pessoa está dizendo e ajudá-la a esclarecer pensamentos, sentimentos e idéias. Em seguida estudaremos ambos.

Manifeste sua Aceitação Daquilo que a Pessoa Está Dizendo

Uma pessoa que vem a você num estado emocional exacerbado já está se sentindo vulnerável e provavelmente tem muitas dúvidas a seu próprio respeito; ao aceitar o que ela diz sem julgar ou criticar você lhe dará segurança para discutir as verdadeiras questões — por exemplo, o medo que Margaret sente de não ter experiência suficiente para levar a cabo o projeto.

Aceitar não significa concordar, mas simplesmente receber a mensagem comunicada. No caso do desabafo de Margaret você poderia dizer: "Percebo como isso é difícil para você", ou "Percebo que esse projeto está sendo desgastante para você". O que você está lhe transmitindo é que compreende e respeita os pensamentos e sentimentos que ela está comunicando e não julga — nem Margaret nem o que ela está dizendo. Você pode manifestar aceitação de várias outras maneiras menos formais e talvez mais confortáveis — assentir, sorrir ou fazer comentários breves, tais como "Estou entendendo", ou "Sim, é isso mesmo", ou "Continue".

É fácil entender que essa aceitação pode incentivar a outra pessoa a prosseguir de maneira aberta e direta; isso lhe dará informações preciosas a respeito do que está realmente acontecendo, que você poderá usar mais tarde, no estágio de resolução do problema.

Se você não tivesse aceitado o que Margaret dizia e tivesse comentado: "Isto é ridículo. Este projeto não vai fracassar por sua causa", ela poderia ter achado que você não compreendia o que estava acontecendo, não se importava com o que ela estava sentindo e rejeitava a percepção que ela possuía da situação; sentindo-se mais vulnerável que nunca, ela provavelmente teria interrompido a conversa e sua ansiedade permaneceria no mesmo nível intenso, ou talvez até aumentasse.

Manifestar sua aceitação daquilo que uma pessoa aflita está revelando é uma boa aplicação da sua destreza interpessoal, pois reflete sua sensibilidade à vulnerabilidade da outra pessoa. Por sua vez, o uso da sensibilidade contribuirá para você estabelecer um vínculo com a outra pessoa, e esse vínculo se torna a base de uma descoberta mútua de um meio eficaz de resolver a situação.

Uma dica para ser lembrada: se o seu diálogo interno mostrar que você está julgando ou culpando a outra pessoa ("Margaret sempre se sente sobrecarregada", "A insegurança dela é que vai prejudicar esse projeto"), você precisará reconhecer que não está escutando com aceitação. Então poderia tentar um diálogo interno mais ou menos assim: "Respeito os pensamentos e sentimentos de Margaret. Escutarei sem fazer qualquer julgamento. Aceito que o que Margaret está dizendo é válido para ela."

Uma vez manifestada sua aceitação dos pensamentos e sentimentos da pessoa, você poderá passar a ajudá-la a esclarecer esses pensamentos e sentimentos.

Ajude a Esclarecer os Pensamentos, os Sentimentos e as Idéias da Outra Pessoa

Quando ficamos aflitos, nosso raciocínio fica distorcido — "Vamos perder o cliente" — e nossos sentimentos, sendo tão absorventes, perdem a identidade (a ansiedade de Margaret parecia raiva da situação, mas na verdade era medo de não se mostrar à altura). Enquanto nossos pensamentos e sentimentos não se tornarem claros para nós mesmos, não poderemos utilizar de maneira sensata a informação que eles nos dão, e teremos pouca esperança de solucionar a situação aflitiva.

Vimos no primeiro capítulo que a autoconsciência nos faz reconhecer nossos pensamentos, sentimentos e idéias, entrar em contato com eles e compreendê-los (e também nossas atitudes, intenções e avaliações, mas nesta seção não estudaremos estas últimas). No contexto da destreza interpessoal você pode contribuir para que as outras pessoas sejam mais autoconscientes estimulando-as a ser mais precisas naquilo que desejam transmitir — ajudando a esclarecer seus pensamentos, sentimentos e idéias.

Ao contribuir para este esclarecimento você deve lembrar-se sempre de que seu papel é contribuir para que elas revelem os próprios pensamentos e sentimentos, e não impor os seus. Muitas vezes nos impacientamos tentando ajudar Margaret — por exemplo — a entender por que ela não acredita que será capaz de completar o projeto, e em vez de usarmos as ferramentas de esclarecimento (que breve estudaremos), despejamos aquilo que pensamos e sentimos a respeito da questão: "Você está inteiramente equivocada, Margaret. O projeto não é impossível. Simplesmente você precisa de ajuda para aprender a executar todas as tarefas." Impondo aos outros nossa maneira de ver, tiramos a legitimidade de nossas próprias idéias e sentimentos, além de negarmos aos outros a oportunidade de alcançar sua própria compreensão. Será proveitoso ter isso em mente ao ler a próxima seção.

Para ajudar uma pessoa a esclarecer seus pensamentos e sentimentos, você poderá:

- Repetir o que a pessoa diz.
- Desenvolver (parafrasear) o que você acha que a pessoa realmente quis dizer.
- Revelar suas percepções da situação.

- Fazer perguntas intencionais.

A seguir estudaremos cada uma destas técnicas.

Repita o que a Outra Pessoa Diz

As pessoas às vezes não querem dizer o que dizem, especialmente em ocasiões emocionalmente tensas. Isso pode ocorrer porque elas exageram, usam generalidades vagas que passam a impressão errada ou no calor do momento esquecem de ligar o censor. Repetindo aquilo que elas dizem, você lhes permite ouvir as próprias palavras, o que freqüentemente as leva a examinar suas afirmações e reconhecer que suas palavras não transmitiram corretamente o que elas realmente queriam dizer.

Tomemos o exemplo de Peter, um funcionário irado que vem falar com você sobre a colega, Janice. No primeiro exemplo você não usou sua inteligência emocional; no segundo exemplo você a usou.

Peter: "Não agüento mais trabalhar com a Janice. Ela nunca termina o trabalho a tempo."

Você: "No fundo você não pensa assim. A Janice trabalhou duro em muitos projetos."

Peter: "Estou lhe dizendo, sempre tenho que fazer o que ela deixa para trás, e acabo trabalhando duas vezes mais."

Você: "Ora, deixe disso, você está exagerando."

Peter: "Não estou, não. Ninguém percebe e ela sempre se safa."

Você: "Não é justo você dizer isto."

Repare na diferença do próximo exemplo, em que sua destreza interpessoal está em ação e você repete aquilo que Peter diz:

Peter: "Não agüento mais trabalhar com a Janice. Ela nunca termina o trabalho a tempo."

Você: "Você não agüenta mais trabalhar com Janice porque ela nunca termina o trabalho a tempo."

Peter: "Quero dizer, 'nunca' não é exatamente a palavra, mas ultimamente parece que isso acontece sempre. Tenho que fazer o trabalho que ela deixa para trás, e acabo trabalhando duas vezes mais."

Você: "Você tem que fazer o trabalho que ela deixa para trás, e acaba trabalhando duas vezes mais."

Peter: "Eu nem sempre faço o trabalho dela. Ninguém me manda fazer, eu é que fico achando que devo. E ninguém repara."

Você: "Ninguém repara que Janice não faz a parte dela."

Peter: "Talvez reparem, mas o que eu quero dizer é que ninguém percebe quanto eu tenho trabalhado."

Por estes exemplos você vê que ao repetir o que Peter diz você lhe permite abrandar os exageros e ser mais específico. Assim fazendo, e ao corrigir muitas das suas próprias palavras, ele chega àquilo que era sua verdadeira preocupação: está frustrado porque seu esforço não está sendo reconhecido. A raiva e a frustração não têm tanto a ver com o atraso de Janice, mas com a ausência de elogios ou da devida apreciação do seu esforço. Nesse caso você, como chefe dele, aprendeu também alguma coisa de útil: precisa elogiar os esforços de Peter com mais freqüência.

A repetição teve nesse caso outra função importante: deixou claro que você reconhecia a legitimidade da raiva, da frustração e da preocupação dele pelo tratamento injusto. A questão de Peter estar ou não estar "certo" não importa, porque você não o está julgando.

Se você analisar o primeiro exemplo poderá observar algumas coisas. Em primeiro lugar, verá que no final da conversa a raiva de Peter parece não ter diminuído, talvez até tenha aumentado. E há uma boa razão para isso: você deixou de contribuir para que ele entendesse o que estava querendo dizer realmente; você descartou a preocupação dele com a injustiça da situação e negou legitimidade aos seus sentimentos; e ao desafiá-lo você colocou-o na defensiva, o que apenas deixou mais evidente a dificuldade da situação dele. Ao contrário do exemplo em que você empregou sua destreza interpessoal, aqui você deixou de aprender alguma coisa que poderia ajudá-lo a fazer melhor seu trabalho.

Uma palavra de cautela: quando você repete aquilo que outra pessoa diz, ela às vezes pode interpretar isso como paternalismo, de modo que você precisa tomar um cuidado especial para que nem o tom de voz nem sua expressão facial sugiram que você está sendo paternalista. Em vez disso, insinue que o motivo de estar repetindo as afirmações da outra pessoa é o desejo de facilitar a compreensão.

Desenvolva o que Você Acha que a Pessoa Realmente Quis Dizer

A paráfrase é outro meio de ajudar uma pessoa a esclarecer seus pensamentos, sentimentos e idéias. É uma técnica um pouco mais dinâmica do que simplesmente repetir o que ela diz, porque primeiro você precisa levar em consideração as palavras empregadas e o que a pessoa está tentando dizer com elas, o subentendido emocional daquilo que ela está dizendo e os indícios não-verbais; depois será preciso reunir todos estes dados e refazer com suas próprias palavras aquilo que você acredita que a pessoa realmente tenciona que você entenda da conversa. Esta técnica, embora exija um julgamento do que parece ser importante para a pessoa, não inclui julgar o que ela disse.

E exige também que você às vezes se arrisque um pouco. Como já aprendemos, muitas vezes as pessoas dizem as coisas de tal maneira que o sentido fica incompreensível e confuso; você precisará fazer um esforço para sintetizar o significado, e com isso às vezes se arrisca a cometer um engano. Porém até mesmo seu equívoco irá contribuir para que a outra pessoa perceba que o significado não ficou claro e precisa ser esclarecido. Por outro lado, se você se mostra repetidamente incapaz de entender o significado de algo que alguém está tentando comunicar, então a outra pessoa poderá concluir que o defeito é seu — você não sabe escutar.

Como você pode perceber, a paráfrase exige diversas aptidões da inteligência emocional, desde a consciência até a percepção, da auto-revelação à escuta dinâmica. Tomemos novamente o caso de Peter, o seu funcionário ressentido. Eis uma forma de desenvolver o que ele diz:

Peter: "Não agüento mais trabalhar com a Janice. Ela nunca termina o trabalho a tempo. Tenho que fazer o que ela deixa para trás e acabo trabalhando duas vezes mais."

Você: "Estou entendendo. Você está dizendo que se sente sobrecarregado com a quantidade de trabalho que tem a fazer e se sente um pouco logrado porque acredita que a Janice não esteja fazendo a parte dela."

Peter: "Bem, eu não diria 'logrado', porque ninguém está me mandando fazer a parte dela. Eu simplesmente acho que devo."

Você: "Então você se sente obrigado perante o departamento a dar um jeito de levar o projeto até o fim mesmo se alguém não faz o trabalho que lhe cabe, e isso lhe parece uma sobrecarga."

Peter: "Isto é uma coisa. Eu também acho que ninguém percebe."

Você: "Você está ressentido e magoado porque está fazendo todo esse trabalho extra e ninguém está reconhecendo."

Peter: "É isto mesmo."

Por este exemplo você constata que a paráfrase contribuiu para que tanto você quanto Peter chegassem ao cerne daquilo que realmente o estava perturbando. Você constata também que se trata de um processo interativo: Peter lhe dá uma informação, você a interpreta e a devolve, um tanto corrigida; ele então revisa sua correção e acrescenta alguma coisa, e assim por diante, até vocês chegarem ao real significado da queixa dele.

Revele suas Percepções dos Sentimentos da Outra Pessoa

Nas duas últimas seções vimos que ao repetir ou desenvolver o que a outra pessoa diz você pode chegar bem perto de trazer à luz os pensamentos, as idéias e os sentimentos que estão no cerne da questão; agora vamos aprender a enfocar apenas os sentimentos, chegando a eles através da observação de atitudes tanto verbais quanto não-verbais. Depois deduzimos dessas atitudes os sentimentos que a pessoa está experimentando e exprimindo — ou tentando exprimir.

Digamos que Peter venha com o mesmo problema:

Peter (andando de um lado para o outro, falando depressa e em voz alta, gesticulando intensamente): "Não agüento mais trabalhar com Janice. Ela nunca termina o trabalho a tempo."

Você: "Parece que isso deixa você zangado."

Peter: "Bem, na verdade fico frustrado principalmente porque tenho que fazer o que ela deixa para trás, de modo que acabo trabalhando duas vezes mais."

Você: "Percebo sua frustração, mas percebo também que você está ressentido."

Peter: "Estou ressentido porque não é justo que Janice consiga se safar. (Sentando-se numa cadeira, olhando para o chão, falando devagar.) E ninguém percebe quanto eu tenho que trabalhar para que o departamento não fique atrasado."

Você: "Pelo que estou percebendo, parece que você está triste e magoado com essa falta de reconhecimento."

Peter: "Estou, sim."

Você pode perceber que os indícios fornecidos pelo comportamento de Peter ajudaram a identificar as emoções que ele está sentindo: a atitude agressiva e exaltada que ele exibe ao entrar sugere raiva; quando ele se senta, a postura desanimada sugere tristeza e mágoa. Aqui você pode constatar também que o diálogo permite aos dois chegarem mais perto das emoções que porventura estiverem atuando.

São duas as razões para compartilhar suas percepções com a outra pessoa. A primeira: como você pode constatar por este exemplo, a avaliação que você faz dos sentimentos de Peter permite que ele encare a situação de outra forma; até você ajudá-lo a revelar os próprios sentimentos, ele realmente não tinha consciência de que aquilo que o deixava tão ressentido era a falta de reconhecimento do seu esforço. A segunda razão: como você pode constatar também, suas percepções recebem uma resposta, o que significa que você pode corrigi-las de acordo com essa resposta e então determinar seu curso de ação. Se em vez de tristeza e mágoa a emoção que impulsionasse Peter fosse a raiva, você certamente iria conversar com Janice para que ela trabalhasse mais, ou talvez até conseguir alguém para ajudá-la.

Nesse caso, como em tantas técnicas da inteligência emocional, você precisa usar sua sensibilidade. Embora seja importante revelar e corrigir suas percepções dos sentimentos da outra pessoa, você pode causar mais malefício demonstrando insensibilidade do que se abstendo de expor suas percepções. Eis alguns meios de aprender a revelar com sensibilidade suas percepções.

Dicas para Revelar Eficazmente suas Percepções dos Sentimentos de Outra Pessoa

1. Evite insinuar que está fazendo um julgamento. Em vez disso, deixe bem claro que se trata apenas de percepções suas.
2. Evite sugerir que você está fazendo uma avaliação negativa. Assegure-se de que a inflexão da sua voz, a expressão do rosto e a ênfase das palavras sugerem aceitação do que a outra pessoa está dizendo.
3. Evite afirmações de desafio. "Você parece mesmo arrasado" vai deixar a outra pessoa na defensiva, ao passo que "Tenho a impressão de que você está ressentido", não. O mesmo aconteceria com "Você ainda não está entendendo" em vez de "Parece que eu estou deixando você confuso", ou "Você está ficando nervoso" em vez de "Esta conversa é muito difícil".
4. Verifique repetidamente a exatidão das suas percepções. Pergunte à outra pessoa se você percebeu corretamente o sentimento que ela está transmitindo. "Sinto que você está se sentindo frustrado; é isso mesmo?"

Faça Perguntas Intencionais

O propósito de fazer perguntas intencionais é ajudar a esclarecer os pensamentos e sentimentos da outra pessoa, e dar a si próprio uma compreensão melhor da situação. Quanto mais específica for sua pergunta, mais probabilidades existem de você direcionar o pensamento e conseqüentemente as respostas da outra pessoa de um modo que será útil a ambos.

Existem três níveis de perguntas intencionais: uma pergunta aberta, uma pergunta dirigida e uma pergunta específica. O modo emocionalmente inteligente de usar estes três níveis é começar com o geral e passar para o específico; assim você permite que a outra pessoa se sinta bem ao revelar informações para que você possa então aprofundar-se nas origens do problema. Fazer uma pergunta específica cedo demais pode às vezes levar a outra pessoa a responder defensivamente.

Vamos estudar como você pode usar cada um desses três níveis enquanto examinamos um dilema que sua colega Carla está enfrentando:

ofereceram-lhe um emprego em outro continente e ela não sabe se deve aceitá-lo. Ela vem a você para debater os prós e os contras.

Carla: "Esse emprego em outro continente é interessante e o salário é melhor, mas não tenho certeza se conheço suficientemente o assunto. Eu teria que me afastar de Nathan, e acho que isso iria prejudicar nosso relacionamento; além disso, não sei se estaria usando essa oportunidade de mudar de país para me afastar da politicagem daqui. Não quero que essa seja a razão para eu aceitar o cargo. Além disso, quem sabe que problemas terei de enfrentar lá? Estou muito confusa."

Você: "Parece mesmo uma situação complicada. (Aceitação da situação e da confusão de Carla.) "O que você pensa de tudo isso?" (Uma pergunta aberta.)

Carla: "Acho que estou realmente pronta para alguma coisa nova, mas tenho medo de me decepcionar e acabar não gostando tanto do novo trabalho quanto gosto do atual."

Você: "Entendo. Uma mudança tão grande certamente provoca ansiedade." (Aceitação dos sentimentos dela.) "Quais são para você os prós e os contras do novo emprego?" (Uma pergunta intencional.)

Carla: "Acho que eu seria muito feliz morando em Londres por algum tempo, mas amo muito Nathan e não quero terminar com ele por causa disso. Vou ganhar mais, porém acho que vou gastar mais, porque a vida em Londres é muito cara. Não me sinto bem com toda essa briga e competição aqui dentro, mas não sei se estarei melhor lá, e fico aflita quando penso numa mudança tão grande baseada em tão pouca informação."

Você: "Que informações você acha que precisaria ter sobre o novo trabalho para estar em melhores condições de tomar sua decisão?" (Uma pergunta específica.)

Carla: "Bem, eu gostaria de saber como é o ambiente profissional lá: se é muito estruturado ou mais aberto, se as pessoas tendem a competir ou a colaborar no trabalho. Gostaria de ter uma idéia de quanto me custaria viver lá mais ou menos como vivo aqui, de modo a poder avaliar se a diferença de salário é importante. Gostaria de ter mais detalhes sobre o que estarei fazendo exatamente e com quem estarei trabalhando. E acho que gostaria de saber também sobre oportunidades de emprego no campo de Nathan, caso ele chegue à conclusão que gostaria de mudar-se também."

Esta conversa demostra que no início você nada pressupôs sobre as preocupações de Carla ou as questões que lhe são realmente importantes; em vez disso, você lhe fez uma pergunta geral, que a levou a manifestar uma parte de seus sentimentos — a saber, sua ansiedade com relação a uma mudança tão radical em sua vida. Ao permitir que ela definisse suas preocupações você lhe deu oportunidade para expressar-se de modo mais revelador, o que contribuiu para que ela examinasse com mais detalhes aquilo que poderia ou não apreciar em seu novo emprego. Assim você tomou conhecimento de qual era provavelmente a maior preocupação dela — não saber o suficiente sobre o novo emprego — e levou-a a elaborar uma lista de algumas perguntas bastante específicas que gostaria de ver respondidas. Carla agora está em condições de procurar as respostas e chegar mais perto de decidir se deve ou não aceitar o emprego.

Uma palavra de advertência: é preciso muita cautela para não fazer uma pergunta que, em vez de solicitar o ponto de vista da outra pessoa, expresse o seu próprio. Suponhamos que quando Carla menciona as desavenças você pergunte: "Acha que sua contrariedade com a politicagem desta empresa é no fundo ressentimento porque outras pessoas ficaram com cargos que você queria?" Nesse caso você está oferecendo sua própria conclusão, fazendo Carla sentir-se julgada. Não só isso, mas, sendo sua conclusão errada, você colocou Carla na posição de ter que se defender, prejudicando ainda mais a capacidade dela esclarecer a própria situação.

Se você constatar que suas perguntas são uma tentativa de convencer a outra pessoa a aceitar suas idéias, saiba que está enfocando apenas suas intenções, seus desejos e suas interpretações, tendo perdido de vista aquele que deveria ser seu papel nessa situação: um guia para ajudar a outra pessoa a compreender uma situação difícil.

Estudamos quatro maneiras de ajudar a esclarecer os pensamentos e sentimentos das outras pessoas: repetindo o que elas dizem, parafraseando o que elas dizem, expondo suas percepções da situação e fazendo perguntas intencionais. Você pode usar essas técnicas tanto em diálogos curtos quanto em longas conversas. Embora a princípio possa sentir-se inábil ou desajeitado, com a prática você se sentirá à vontade, passando a usá-las naturalmente e com eficácia.

Orientar as pessoas para ajudá-las a esclarecer seus pensamentos e sentimentos lhe dará a satisfação pela sua capacidade de ajudar outras pessoas a se ajudarem, e ao mesmo tempo permitirá que as pessoas percebam você como alguém dotado de grande destreza interpessoal. Na próxima seção estudaremos outra maneira de fazer isso: ajudar pessoas a planejar e alcançar suas metas.

Como Ajudar as Pessoas a Planejar e Alcançar suas Metas

Como já vimos neste capítulo, geralmente ajudar pessoas a se ajudarem implica ajudá-las a entender um problema; na seção anterior aprendemos que sendo um ouvinte solidário você adquire condições de contribuir para que outras pessoas entendam melhor a situação que as preocupa. O passo seguinte é elas seguirem um curso de ação que resolverá a situação favoravelmente. É onde você entra: você vai ajudar a pessoa a determinar suas metas e a alcançá-las. Pode ser um colega que lhe pede ajuda para montar um cadastro de clientes ou uma colega que enfrenta um dilema — como Carla, que tem que decidir se quer ou não transferir-se para Londres.

Há três caminhos para você ajudar outras pessoas a planejar e atingir suas metas. Você pode:

- Ajudar a pessoa a redigir um contrato.
- Usar a encenação e o modelo.
- Reforçar os passos positivos.

Embora estas três técnicas possam ser usadas isoladamente, costuma ser mais eficaz usá-las em conjunto, pois cada uma aumenta a eficácia da outra, como veremos abaixo.

Ajude a Pessoa a Redigir um Contrato

Um contrato é um acordo entre duas partes — neste caso, entre você e a pessoa a quem está ajudando. Como parte do contrato, a pessoa ajudada concorda em executar — ou tentar executar — uma determinada tarefa e depois a informar dos resultados. A pessoa já decidiu seu curso de ação, e o contrato servirá como ferramenta de motivação para ajudar a garantir que a tarefa será cumprida.

O contrato pode ser verbal ou escrito, embora na minha experiência o contrato escrito seja preferível, pois não deixa espaço para qualquer mal-entendido. Nesse contrato está implícito o reconhecimento de que o problema é da outra pessoa e, em troca do tempo e da energia que você está dedicando para ajudar a resolver o problema dela, a outra pessoa se compromete a dar os passos necessários para atingir essa meta.

Por causa da natureza formal de um contrato e do esforço que é redigi-lo e obedecê-lo, você em geral só sugerirá esta opção quando a questão for de grande importância, tal como transferir-se para outra divisão. Você não sugeriria um contrato se a necessidade da pessoa fosse, por exemplo, de motivação para escrever um relatório de cinco páginas.

O contrato deve incluir:

- A definição da meta
- Uma lista dos passos necessários para alcançá-la
- O compromisso por parte da outra pessoa de seguir esses passos
- Um compromisso seu de fornecer apoio, incentivo e ajuda na medida do necessário para definir os passos da ação

Tomemos o caso de Carla: sua meta poderia ser descobrir todo o possível sobre o emprego em Londres. Os passos que ela poderia seguir são, entre outros: procurar alguém que já tenha trabalhado lá e pedir-lhe informações; conversar com as pessoas que trabalham lá atualmente, a respeito do seu cargo especificamente; conversar com alguém que mora em Londres para saber como o custo de vida se compara ao do lugar onde ela mora; fazer as pesquisas iniciais no campo profissional de Nathan sobre as possibilidades de trabalho em Londres.

Quando estas ações tiverem sido completadas (ou não), a outra pessoa vem a você para relatar esse fato. Carla poderia informar que, tendo conversado com alguém que trabalhou para a empresa européia, já tem uma idéia mais clara do emprego; ela conversou também com três funcionários da companhia, inclusive seu gerente em potencial, a respeito de detalhes do trabalho. Telefonou para algumas pessoas que conhece em Londres e perguntou sobre o custo de vida. Mas não conseguiu descobrir coisa alguma sobre as possibilidades de emprego para Nathan.

Embora muitos desses passos possam ser constrangedores para Carla, ela está motivada por causa do contrato: você e ela fizeram um acordo e, assim como você, ela precisa cumprir a parte dela. A satisfação que sente ao completar cada passo e poder relatar a você esse sucesso vai motivá-la ainda mais.

Use o Modelo e a Encenação

Com freqüência, depois que uma ação ficou decidida, a outra pessoa acha quase impossível executá-la — muitas vezes porque não é familiar, a ação provoca ansiedade, o que efetivamente impede que a pessoa aja. Nisso você poderá ajudar, demonstrando, em primeiro lugar, como a ação pode ser executada — seja criticar o chefe, fazer uma apresentação, despedir alguém, assumir uma posição controversa numa reunião de grupo ou qualquer outra ação potencialmente aflitiva ou assustadora. Em segundo lugar, você pode desenvolver um pretenso diálogo com a outra pessoa, no qual você faz o papel da outra pessoa e ela faz o papel do chefe ou do funcionário; em seguida invertem-se os papéis.

A primeira técnica é chamada "modelo" — você representa para a outra pessoa as atitudes e reações eficazes a serem usadas em determinada situação, ou mesmo as que devem ser evitadas. A segunda técnica é chamada "encenação", e através dela você permite que a outra pessoa tanto observe você como modelo (quando você faz o papel dela) quanto explore através da interação ao vivo suas possibilidades de ação na situação real (quando estiver fazendo o papel de si mesma). Isso dará a ela a oportunidade de identificar aquilo que funciona e aquilo que não funciona, e de ensaiar o diálogo constrangedor para sentir-se cada vez menos constrangida e ter maiores chances de resolver a situação satisfatoriamente. A técnica do modelo pode ser praticada isoladamente, mas a encenação implica na prática da técnica do modelo. Juntas, essas técnicas permitem que você ajude uma pessoa a desenvolver e praticar novas técnicas para executar determinada tarefa, criando nela a confiança necessária para empreender a tarefa e completá-la.

Voltemos a Carla; vamos supor que ela simplesmente não consiga telefonar para um dos funcionários da firma européia para conversar sobre o perfil da empresa e dos outros funcionários. Carla nunca deu esse tipo de telefonema, que lhe parece algo ameaçador: se causar má impressão ou fizer as perguntas erradas, arrisca-se a ficar sem o emprego. O que você pode fazer é elaborar um modelo das melhores maneiras de entabular essa conversa, ou então encená-la. Primeiro você faria o papel dela, para que ela pudesse ver como você iniciaria a conversa, faria as perguntas e obteria respostas úteis.

Depois trocariam de papéis, Carla fazendo seu próprio papel e você fazendo o papel do funcionário em Londres. Através das suas respostas você mostraria a Carla quais seriam as perguntas boas e as más. Por exemplo, se ela perguntar: "É divertido trabalhar lá?", você poderia responder: "Bem, não é a Disneylândia", porque você sente que não se trata de uma pergunta que obteria uma resposta útil ou colocaria Carla em boa posição — a outra pessoa poderia considerá-la frívola. Por outro lado, quando Carla perguntar: "Você diria que os membros da sua equipe trabalham em colaboração?", você poderia responder: "Sim, em muitos projetos, e resolvemos muitos problemas uns para os outros, mas em geral trabalhamos individualmente." Logicamente você não tem a menor idéia do ambiente de trabalho no escritório londrino, e simplesmente inventou a resposta; o que você deseja salientar para Carla é que a pergunta era boa e poderia lhe trazer informações úteis para ajudá-la na tomada de decisão de aceitar ou não o emprego.

Apesar de toda a encenação, no entanto, na situação real a pessoa pode simplesmente deixar de mostrar reações e atitudes eficazes. As técnicas de modelo e de encenação fornecem os instrumentos para vencer e a confiança e a certeza de que irão ter sucesso; às vezes, porém, na hora da verdade a ansiedade as domina e elas não conseguem se sair tão bem quanto poderiam. Para ajudar a evitar que isso aconteça você usa a técnica da inteligência emocional de reconhecer e avaliar os sentimentos subjacentes criados pela situação (e trazidos à luz durante a encenação), e então discuti-los.

Digamos que enquanto Carla faz o papel de si mesma durante a encenação sua voz começa a falhar, ela gagueja um pouco ou fala com hesitação; você poderia dizer: "Está me parecendo que essa pergunta lhe causa ansiedade; é isto mesmo?" Poderia então incentivá-la a falar sobre essa ansiedade. Por exemplo: ela está preocupada com o resultado do telefonema e sente que dele depende muita coisa, de modo que você manifesta seu reconhecimento de que a ansiedade dela é perfeitamente compreensível, e lhe assevera que a prática irá ajudá-la a ter sucesso. Se ainda assim ela continuar ansiosa, você pode lhe sugerir qualquer das técnicas de controle de emoções que estudamos no Capítulo 2, tais como desenvolver um diálogo interno construtivo ou usar o relaxamento. Você poderia também produzir algumas mini-encenações de última hora enfocando a ansiedade subjacente à situação. Por exemplo, pouco antes de Carla dar o telefonema para Londres vocês poderiam encenar a conversa que ela está prestes a ter, na qual ela pergunta sobre as férias.

O principal objetivo das técnicas de modelo e encenação é, naturalmente, ajudar as pessoas a serem capazes de ter atitudes produtivas para que consigam alcançar as suas metas; o objetivo subjacente vai além de simplesmente ensinar as reações apropriadas para determinadas situações: o que você quer é ajudar as pessoas incentivando a confiança delas na própria capacidade de lidar com situações igualmente desagradáveis e ensinando-lhes técnicas de controle emocional que contribuem para isso. A seguir veremos alguns meios de usar com eficácia as técnicas de modelo e encenação.

Dicas para Usar Eficazmente o Modelo e a Encenação

1. Questione se você pode mesmo ser um bom modelo. Pode muito bem haver situações em que você não poderá sê-lo. Se você não for do tipo positivo, poderá ter dificuldade em demonstrar para outra pessoa como interpelar a chefe pelo comportamento ríspido que ela teve; poderia até dizer as palavras certas, mas sua falta de convicção as tornaria dúbias e forçadas. Se você constatar que não pode fazer o modelo de determinado comportamento, deveria procurar alguém que possa, e indicá-lo à pessoa que precisa de ajuda.

2. Mostre entusiasmo. O modo como você faz o modelo é tão importante quanto aquilo que está representando. À medida que a pessoa aceita o modelo e manifesta reações positivas, mostre entusiasmo — esta emoção provavelmente será captada pela outra pessoa e usada como excitação motivadora. Digamos que você esteja fazendo o papel da pessoa com quem Carla está falando em Londres e ela está fazendo seu próprio papel; depois que ela lhe faz uma série de perguntas você poderia dizer: "São perguntas realmente interessantes. Você parece desejosa de trabalhar aqui, mas vejo também que está resolvida a pensar bem antes de tomar a decisão." Pareça entusiasmado ao dizer isto, para inspirar-lhe a vontade de ter esta conversa com a pessoa real.

3. Estude realisticamente a pessoa e a situação. Suponhamos que Thomas, que veio a você pedir ajuda para enfrentar uma chefe agressiva, não seja uma pessoa positiva; a avaliação que você fez dele e da natureza da situação que ele está enfrentando lhe diz que nenhuma encenação vai conseguir ensinar-lhe as técnicas ou dar-lhe a confiança necessárias para resolver a situação com eficácia. Portanto você pode-

ria sugerir-lhe um plano alternativo — como escrever à chefe explicando que tem dificuldades de conversar com ela cara a cara sobre um assunto tão delicado.

4. Estruture a prática de modelo de modo que seja quase impossível um fracasso total. Lembre-se que um dos seus propósitos é fortalecer a confiança do outro; assim, mesmo se na primeira tentativa de treinar respostas dentro de uma determinada situação a pessoa tivesse respondido algumas coisas que trouxessem o risco de conseqüências negativas, elogie o que foi feito corretamente. "Sua postura e sua linguagem corporal realmente transmitiram sua sinceridade." Use então a crítica construtiva (que estudamos no Capítulo 4) para ajudar a pessoa a fazer melhor na próxima vez. "O tom alto de sua voz está sugerindo raiva; se sua chefe perceber sua raiva, poderá desconsiderar aquilo que você está tentando transmitir. De modo que seria muito melhor se você falasse mais devagar e mais baixo." Se não há quase nada que você possa elogiar, pelo menos demonstre reconhecer a boa vontade que a pessoa teve em tentar a encenação, e sugira que ela treine mais.

A Inteligência Emocional em Ação

Como orientadora vocacional num hospital de veteranos, faz parte das minhas funções ajudar os pacientes a encontrar trabalho na comunidade. Muitos deles ficam bastante nervosos na entrevista, especialmente quando lhes perguntam onde moram — ficam muito constrangidos quando precisam dizer que moram no hospital. Como sabem que terão que responder a esta pergunta, raramente comparecem às entrevistas de emprego.

Encontrei um método que realmente funciona: enceno a entrevista com cada paciente; faço o papel do empregador e pergunto todo tipo de coisas, inclusive, é claro, onde ele mora. Quando ele responde que mora num hospital eu digo: "Meu Deus! O que há de errado com você?" Realmente dificulto as coisas. Se ele encontrar dificuldade, interrompemos a encenação e discutimos as opções. Às vezes trocamos de papéis e demonstro como ele poderia responder. Nunca deixo de elogiar bastante todos eles quando acertam; percebo que isto lhes transmite confiança.

Isto se torna uma excelente experiência de aprendizado, e não apenas para eles: percebo que, ao fazer o papel deles, ganho mais consciência da angústia que a entrevista realmente lhes causa. (Malcolm S., orientador vocacional)

Em seguida estudaremos um terceiro meio de ajudar as pessoas a determinar e planejar suas metas, reforçando seus passos positivos.

Elogie os Passos Positivos

Digamos que a pessoa tenha se comprometido com você a executar certas ações necessárias para alcançar determinada meta, e você tenha ajudado essa pessoa a ensaiar o comportamento adequado para executá-las satisfatoriamente; agora você vai ajudá-la a chegar ainda mais perto da sua meta elogiando seus passos positivos. Com elogios e recompensas você pode motivar uma pessoa para uma ação produtiva.

Assim como o contrato, o incentivo através do elogio é um meio muito eficaz de motivar uma pessoa que deseja executar determinada ação; é também uma boa ferramenta de motivação para aqueles que facilmente abandonam uma tarefa e precisam de estímulo para voltar ao rumo. Ao elogiar determinado comportamento você incentiva a pessoa a repeti-lo para ganhar mais elogios. No contexto da destreza interpessoal, você não apenas estimula as pessoas como também contribui para que aprendam a incentivar-se sem precisar de você.

Tomemos o caso do tímido Thomas. Vamos supor que você sentisse que ele poderia aprender a enfrentar a chefe; você tentou a técnica da encenação mas o resultado não foi bom. Dentro da encenação você foi modelo do comportamento positivo, de modo que Thomas pelo menos sabe do que se trata. Seu papel no processo de ajudá-lo a ajudar-se é incentivá-lo, elogiando cada demonstração de um comportamento que possa com certa generosidade ser chamado de positivo. Voltaremos ao caso de Thomas quando estudarmos alguns meios de usar o incentivo através do elogio.

Dicas para Usar Eficazmente o Elogio

1. Seja coerente. O incentivo através do elogio é muito mais eficaz quando praticado com constância. Enalteça Thomas sempre que ele expuser sua opinião numa reunião ("Thomas, aquilo foi uma excelente demonstração de positividade"), quando ele pedir para passar à frente e tirar cópia de umas poucas páginas em vez de esperar até que a gerente de publicidade copie centenas de panfletos ("Você está realmente aprendendo a ser positivo, Thomas. Isso é ótimo!") e sempre que você testemunhar um ato de positividade da parte dele. O incentivo ocasional, em que algumas vezes o comportamento correto é elogiado e outras vezes não, mostra-se muito menos eficaz. Seu objetivo é que a pessoa associe a prática do bom comportamento a uma conseqüência gratificante.

2. Recompense o comportamento assim que ele for manifestado. Cada minuto ou cada acontecimento entre o comportamento positivo e sua recompensa diminui o efeito desta; portanto tente reduzir ao mínimo o tempo decorrido entre os dois. Você pode dar a Thomas um sinal de aprovação erguendo o polegar quando ele usar a positividade durante

uma reunião, ou pelo menos ir até ele e elogiá-lo assim que a reunião terminar.

3. Defina a relação de causa-e-efeito. Para que o incentivo funcione, a pessoa que o recebe precisa compreender a relação entre ter um comportamento e ser recompensada: Thomas precisa saber que cada vez que ele usar sua positividade você lhe dará um sorriso e lhe dirá alguma coisa gratificante, como "É ótimo ver você usando sua positividade" ou "Você está mesmo aprendendo a usar sua positividade".

4. Assegure-se de que o incentivo vale a pena. Se a recompensa não for importante ou desejável, a pessoa vai ficar menos motivada a ter determinado comportamento ou empreender determinada tarefa. Na situação de Thomas, um elogio vindo de você, que é seu colega respeitado, é incentivo suficiente; no caso das tarefas monótonas e repetitivas é especialmente importante que o incentivo seja desejável. Você deve se lembrar que, no capítulo sobre a motivação, Jonette, gerente de vendas, relata que toda vez que seus funcionários tinham que executar uma monótona tarefa burocrática ela colocava música, pois isso contribuía para que tivessem prazer no trabalho, e assim conseguiam terminar tudo em menos tempo do que de costume. A música nesse caso pode ser considerada tanto um fator de motivação — o ritmo acelera a endorfina e aumenta o nível de excitação — quanto um incentivo: uma recompensa pelo trabalho enfadonho.

Como você quer que as pessoas sejam capazes de estimular seu próprio comportamento ou ato para que possam ser independentes, precisará incentivá-las a criar um planejamento de incentivos. Voltemos ao caso de Carla: suponhamos que ela afinal tenha decidido que depois de cada telefonema para Londres e cada vez que ela pede a alguém na sua atual firma informações sobre o emprego ela iria recompensar-se com um diálogo interno repleto de elogios ("Estou realmente me saindo muito bem nessa pesquisa", "Estou mostrando muita autoconfiança") e com a leitura de algumas páginas do guia de Londres. As recompensas que ela planejou para si lhe fazem tão bem que ela as aguarda com ansiedade, mas sabe que para consegui-las precisará executar uma tarefa difícil. Recompensando-se ela se motiva para isso.

Você pode ajudar a motivar as pessoas fazendo um contrato com elas, usando com elas o modelo e a encenação e incentivando-as através do elogio; e nesse processo, ao lhes dar a confiança, as técnicas e as ferramentas necessárias, você colabora para que obtenham por si mesmas a motivação, para que um dia consigam agir e alcançar suas metas independentemente de você.

Você provavelmente já percebeu que o título deste capítulo é Como Ajudar Outras Pessoas a se Ajudarem; ele não se chama simplesmente Como Ajudar Outras Pessoas por uma boa razão: o objetivo do tipo de ajuda que estamos estudando aqui é orientar pessoas para que aprendam a usar a inteligência emocional a fim de serem mais produtivas, eficientes e bem-sucedidas. Uma vez que tenham se tornado adeptas do uso da inteligência emocional elas poderão ajudar outras pessoas a se ajudarem, ensinando-lhes a usar a inteligência emocional. Nossa meta é a organização emocionalmente inteligente, na qual todos os funcionários usam ao máximo sua inteligência emocional, como veremos na próxima seção.

A Formação de uma Organização Emocionalmente Inteligente

Você se lembra que bem no início deste capítulo vimos que uma organização de trabalho é um sistema integrado, que depende do desempenho de cada indivíduo que faz parte dela e do inter-relacionamento de todos eles; ao longo deste livro vimos a vantagem de usar nossa inteligência emocional tanto no modo de nos comportarmos quando no modo de nos relacionarmos com os outros. Todas essas técnicas almejam aquilo que deveria ser o objetivo do esforço de todos nós: a organização emocionalmente inteligente — uma empresa na qual os funcionários criam uma cultura que aplica continuamente as técnicas e as ferramentas da inteligência emocional.

Em tal ambiente de trabalho todos os empregados têm a responsabilidade de expandir sua própria inteligência emocional ampliando sua autoconsciência, controlando suas emoções e adquirindo motivação. Cada um deles tem a responsabilidade de usar sua inteligência emocional no relacionamento com os outros, desenvolvendo técnicas de comunicação eficazes e destreza interpessoal, e ajudando os outros a se ajudarem. E todos têm a responsabilidade de usar sua inteligência emocional para aplicar tudo isso à organização como um todo.

A organização emocionalmente inteligente é um tema amplo demais para ser explorado aqui, pois necessitaria de um livro inteiro. Toco no assunto para que você saiba até onde sua inteligência emocional pode levá-lo: imagine como deve ser a sensação de trabalhar numa organização onde, por exemplo, todos se comunicam com respeito e compreensão, as pessoas estabelecem metas de grupo e ajudam umas às outras a trabalhar para atingi-las, onde abundam o entusiasmo e a confiança na empresa. Como você a essa altura já sabe, a inteligência emocional na sua firma vai começar com você: à medida que você praticar o uso de suas emoções para melhorar seu desempenho no trabalho e seus relacionamentos profissionais, eu o convido a não apenas incentivar mas também inspirar o desenvolvimento da inteligência emocional entre todos os funcionários da empresa. A mensagem está clara: o potencial para o sucesso — tanto do indivíduo quanto da organização — é enorme, e tem uma vantagem adicional: ele é realmente possível.

Apêndice

O Desenvolvimento de sua Inteligência Emocional

Este teste, "O Desenvolvimento de sua Inteligência Emocional", foi criado para ajudá-lo a tomar consciência das suas aptidões em termos de inteligência emocional e depois desenvolvê-las. Ele consiste em três partes.

Na Primeira Parte você vai avaliar sua capacidade de aplicar a inteligência emocional.

Na Segunda Parte você vai examinar suas respostas da Primeira Parte, procurando seus pontos fortes e as áreas que podem ser melhoradas.

Na Terceira Parte você vai praticar e observar suas aptidões na aplicação da inteligência emocional durante quatro semanas; então voltará às duas primeiras partes, observando as diferenças entre suas respostas.

Primeira Parte

Para cada item dê uma nota para sua capacidade de mostrar a aptidão descrita. Antes de responder tente pensar em situações reais nas quais você foi compelido a usar essa aptidão.

Capacidade Baixa						Capacidade Alta
1	2	3	4	5	6	7

1. Identificar mudanças na excitação fisiológica ____
2. Relaxar em situações de pressão ____
3. Agir produtivamente quando zangado ____
4. Agir produtivamente em situações que provocam ansiedade ____
5. Acalmar-se depressa quando zangado ____
6. Associar diferentes indícios fisiológicos a diferentes emoções ____
7. Usar a "conversa" interna para influenciar seu estado emocional ____
8. Comunicar com eficácia seus sentimentos ____
9. Refletir sobre sentimentos negativos sem se perturbar ____
10. Ficar calmo quando for alvo da raiva de outra pessoa ____
11. Saber quando você está pensando negativamente ____
12. Saber quando sua conversa consigo mesmo é instrutiva ____
13. Saber quando você está ficando zangado ____
14. Saber como interpretar os acontecimentos ____
15. Saber que sentidos você está usando no momento ____
16. Comunicar corretamente o que está sentindo ____
17. Saber que informações influenciam suas interpretações ____
18. Identificar suas mudanças de estado de espírito ____
19. Saber quando você fica na defensiva ____
20. Saber o impacto do seu comportamento sobre os outros ____
21. Saber quando você está se comunicando incoerentemente ____
22. "Aumentar a potência do motor" quando quiser ____
23. Recuperar-se depressa depois de um retrocesso ____
24. Completar tarefas longas dentro dos prazos determinados ____

Capacidade Baixa						Capacidade Alta
1	2	3	4	5	6	7

25. Produzir alta energia fazendo um trabalho desinteressante ____
26. Cessar ou modificar hábitos pouco eficazes ____
27. Desenvolver novos padrões de comportamento mais produtivos ____
28. Depois das palavras, a ação ____
29. Resolver conflitos ____
30. Chegar a um consenso com outras pessoas ____
31. Mediar conflitos alheios ____
32. Mostrar técnicas eficazes de comunicação interpessoal ____
33. Apresentar os pensamentos de um grupo ____
34. Influenciar outras pessoas, direta ou indiretamente ____
35. Construir a confiança com outras pessoas ____
36. Montar equipes de apoio ____
37. Fazer outras pessoas se sentirem bem ____
38. Dar conselhos e apoio a outros, quando necessário ____
39. Refletir corretamente os sentimentos de outros para eles mesmos ____
40. Reconhecer quando uma pessoa está preocupada ____
41. Ajudar outras pessoas a controlar as emoções ____
42. Mostrar empatia com outras pessoas ____
43. Ter conversas íntimas com outras pessoas ____
44. Ajudar um grupo a controlar as emoções ____
45. Perceber incongruências entre as emoções ou sentimentos de uma pessoa e seu comportamento ____

Segunda Parte

Reveja suas respostas. As tabelas seguintes indicam que respostas revelam que aptidões.

Intrapessoal

Autoconsciência	Controle de Emoções	Automotivação
1, 6, 11, 12, 13, 14, 15, 17, 18, 19, 20, 21	1, 2, 3, 4, 5, 7, 9, 10, 13, 27	7, 22, 23, 25, 26, 27, 28

Interpessoal

Relacionar-se bem	Ser Mentor Emocional
8, 10, 16, 19, 20, 29, 30, 31, 32, 33, 34, 35, 36, 37, 38, 39, 42, 43, 44, 45	8, 10, 16, 18, 34, 35, 37, 38, 39, 40, 41, 44, 45

Organize suas respostas da seguinte maneira: para cada uma das cinco aptidões conte o número de respostas em que você obteve nota igual ou inferior a 4, assinalando na coluna da *esquerda*; conte o número de respostas em que você obteve nota igual ou superior a 5, assinalando na coluna da *direita*.

Intrapessoal

Capacidade	Respostas de nota igual ou inferior a 4	Respostas de nota igual ou superior a 5
Autoconsciência		
Controle de Emoções		
Automotivação		

Interpessoal

Capacidade	Respostas de nota igual ou inferior a 4	Respostas de nota igual ou superior a 5
Relacionar-se bem		
Ser Mentor Emocional		

Analise seus resultados e identifique as aptidões que você quer melhorar.

Terceira Parte

Com base nas suas respostas, identifique duas aptidões da inteligência emocional que você deseja melhorar:

1. ____

2. ____

Agora identifique algumas tarefas específicas que irão ajudá-lo a adquirir essas duas aptidões da inteligência emocional:

____

____

____

____

Pratique durante um mês o uso de suas aptidões da inteligência emocional.

Depois retome as duas primeiras partes. Note as diferenças. Repita o processo até que sua nota seja igual ou superior a 5 em todos os itens da Primeira Parte.

Sobre o Autor

O Dr. Hendrie Weisinger é psicólogo licenciado, com longa experiência em psicologia clínica, psicologia de aconselhamento e psicologia organizacional. Leciona em programas para executivos nas universidades dos Estados Unidos e é consultor de várias empresas que figuram na lista das 500 da *Fortune*, de órgãos governamentais, escolas e organizações de saúde mental. É a maior autoridade na aplicação da inteligência emocional, especialista em controle da raiva, criador de técnicas altamente elogiadas de Treinamento de Crítica e autor de vários livros de sucesso.

markgraph
Rua Jornalista Orlando Dantas, 56 - Botafogo
Tel.: (021) 551.9242 Fax.:(021) 552.5466
Rio de Janeiro - RJ